삶의 의미를 찾아줘

삶의 의미를 찾아줘

지은이   2023.삼현여중추리소설창작반

발 행   2024년 1월 29일
펴낸이   한건희
펴낸곳   주식회사 부크크
출판사등록   2014.07.15.(제2014-16호)
주 소   서울특별시 금천구 가산디지털1로 119 SK트윈타워 A동 305호
전 화   1670-8316
이메일   info@bookk.co.kr

ISBN   979-11-410-6939-1

www.bookk.co.kr

삼현여중 추리소설 제3집

삶의 의미를 찾아줘

2023.삼현여중추리소설창작반

BOOKK

차 례

매년 책을 만들 때마다 저는 생각했습니다.
이번이 마지막이야. 더 이상 힘든 일을 사서 하지 않을 거야.
바쁜 12월, 수많은 밤을 새우며 아이들의 글을 읽어보고
교정하면서 마지막이니 열심히 해야지 하는 생각들 속에서
2021, 2022년 1집과 2집이 나왔습니다.

그리고 올해의 아이들을 만났습니다.
어쩌면 하나하나 그리도 빛나고 어여쁜지요.
아이들과 함께 사건을 해결하고,
유기 동물 봉사활동도 가고,
여러 독서 행사를 진행하고,
제3세계 어린이들에게 가방도 기부하고
BOOK-CAMPING도 운영하며 성장하는 모습을 보니
제 삶의 의미가 무엇인지 깨닫게 되었습니다.
교사로서의 저의 삶의 의미는 아이들인 것을.
그리고 아이들의 글이 세상에 나올 수 있도록 돕는 것이
지금 제가 할 수 있는 가장 가치 있는 일인 것을.

이 책을 읽으시는 여러분의 삶의 의미는 무엇인가요?
치열하게 고민하며 자기들 삶의 의미를 적어 보인
15살의 아이들에게 박수 부탁드립니다.

교사 이가윤 올림

제1화 살냄새

둥-, 둥-, 둥. 의미 없이 울린다. 누군가 내 가슴속에서 기타 줄 따위를 뜯으면 이런 소리가 날까. 빌어먹게 시끄럽다. 이렇게 정처 없이 떠돌다가 확 멈춰버리면 좋을 텐데. 내가 이곳에서 죽으면 누군가가 나를 발견할까? 내가 발견된다면 아마도 그 원인은 누군가의 방문보다는 이미 썩어 문드러진 끔찍한 살냄새에 대한 민원 전화가 아닐까. 아무런 징조 없이, 몇 천만 분의 확률에도 불구하고 갑자기 심장마비가 일어나 20대 중반 남자가 사망했다며 지역신문 한편에 나의 끝이 쓰이겠지. 누군가는 이 기사를 보고 세상이 말세라며 혀를 찰 테고, 또 누군가는 금쪽같은 저 아들이 생각나 급히 전화벨을 누를지도 모른다. 하지만 며칠이 지나면 그 누군가는 또 다른 기사를 보고 고개를 내저을 것이며, 그 누군가는 다시 본인의 일상으로 돌아갈 테지. 확실한 건, 난 여기서 죽지 못할 테고, 죽더라도 아무도 날 기억하지 않을 것이다. 죽는 건 무서우니까. 하는 것도 없이 축내면서 하루하루를 연명하는 꼴에 죽는 건 무섭다니. 참 부질없는 인생이다.

늦은 오후에 느지막이 일어나 시끄러운 소리를 내뿜으며 돌아가는 컴퓨터 본체의 전원을 누르고 익숙하게 게임 창에 들어간다. 게임을 하다 쾅! 하고 키보드를 내리친다. 다 이긴 판이었는데 저 새끼가 게임을 던져서 다 망해버렸다. 채팅창에 지금 내 머릿속에 떠오르는 줄기찬 욕설들을 마구 써 내려간다. 상대도 화가 났는지 나를 향해 붉은 가시들을 뿜어댄다. 그러면서 본인 전화번호를 내걸며 만나잖다. 나 또한 내 전화번호를 채팅창에 쓰며

"꼬우면 니가 먼저 걸어ㅋㅋ 이 씨발아ㅋㅋ"

라고 도발한다. 손톱을 물어뜯으며 휴대전화만 바라본다. 시계 초침이 똑딱이고 구레나룻 사이로 식은땀이 흐르며 불안으로 가득 찬 적막 속에서 우웅ㅡ, 휴대전화가 진동하며 울린다.

아! 그 번호다.

조심스레 통화 버튼과 녹음 버튼을 누른다. 초록색 통화 버튼을 누르자마자 묵직한 목소리의 욕설이 들려온다. 목소리가 심상치 않다. 굵은 목소리를 보니 한 덩치 할 것 같다. 나의 주소

를 알아내서 꼭 죽여버리겠다며 큰소리를 낸다. 귓구멍이 웅웅거리고 가슴이 빠르게 뛴다. 손이 발발 떨리고 숨은 거칠어진다. 떨리는 손을 붙잡고 황급히 전화를 끊고는 전화번호를 차단한다. 상황은 이제 끝났건만 젠장할, 내 몸 덩어리는 떨림을 멈출 기색조차 없다. 기력을 너무 많이 썼다. 한숨 자고 일어나면 괜찮을 거야.

.

.

.

자고 일어나니 어스름한 새벽녘, 생각이 정리되는 기분이다. 그 새끼는 분명히 자기가 아니라 다른 사람의 목소리를 빌린 걸 테다. 자신이 없었나 보지? 찌질하게 남한테 이런 걸로 부탁이나 하고. 잠이 깬 나는 습관적으로 SNS에 들어갔다. 어두운 단칸방과 대비되는 새하얀 스마트폰 불빛이 내 얼굴을 감싼다. 너무나 밝고 하얘서 눈이 부시다. 불빛을 뚫고 마주한 건 고등학교 동창부터 얼굴 모르는 남들의 사진이었다. 나는 매일 어둡고 축축한 반지하의 창문 아래에서 사람들의 더러운 우월감이 잔뜩 묻은 신발 밑창으로 무참히 밟히는데, 그들은 해가 반짝이는 해외의 바다 위에서 유유히 여유를 즐기는 지극히 연출된 모양 빠진 사진을 게시했다. 활짝 웃으며 당장이라도 행복해 죽겠다는 듯. 게다가 '좋아요' 수는 수천수백만이 넘어가고 댓글에는 온통 칭찬뿐. 내가 아는 놈은 절대 이렇게 많은 관심을 받을 만큼 잘난 놈이 아니다. 보정을 엄청나게 했겠지. 부럽다는 생각이 불

쑥, 뇌리를 스친다. 짜증 나. 나는 억지로 눈을 감고 잠을 청했다. 누런 장판 위 볼품없는 이불 한 장이 나를 감싸고 밑으로 끌어내리며 이제 어떻게 되어도 상관없다는 생각이 들기 시작할 무렵, 좁은 창가 너머로 길고양이의 울음소리가 들렸다. 아, 곧 잠들 순간이었는데 짜증 나게. 조용히 하라는 의미로 방바닥을 쿵 쳤다. 잠잠해지나 싶어 다시 눈을 감았지만, 어김없이 야옹. 그 고양이는 다시 울어대기 시작했다. 신경 쓰지 말자며 잠에 집중하려 하니 고양이의 울음소리가 더 크게 들리는 것 같다. 나는 짜증이 오를 대로 올라 그 고양이가 있는 밖으로 나갔다.

대충 슬리퍼를 끌며 집 앞 가로등으로 나오니 치즈 색 고양이 한 마리가 있었다. 길에 버려진 지 수년은 된 건지 털색은 검었고 발에는 발톱이 무성했다. 외양으로 판단하건대 길거리 생활이 만만찮게 오래되어 보였건만 사람을 경계하긴커녕, 그 고양이는 오히려 나를 보고 안겨 왔다. 당황한 마음으로 조심스레 등을 쓸어보니 부드럽고, 또 따뜻했다. 아무 생각 없이 등을 쓸다가 문득 궁금증이 들었다. 나는 고양이의 등을 쓸던 손으로 고양이의 목을 졸랐다. 그 고양이는 갑작스레 자기 목을 졸라오는 손에 놀랐는지 야옹, 하고 울며 버둥댄다.

따뜻했다.

고양이의 목을 손으로 쥐자마자 든 생각이다. 따뜻하구나. 천천히 손에 힘을 준다. 손바닥뿐만 아니라 손가락 마디마디, 그 손아귀 끝까지 힘을 준다. 내 안에 잡힌 무언가가 바스러질 만큼. 내 어귀에서 버둥대는 움직임이 소름 끼친다. 이게 대체 무슨 기분이지? 술과 담배처럼 1차원적인 게 아니라 뭐랄까, 좀 더 고차원의 이질적인 감각이다. 나는 나에게 안겨 오는 하나의 생명체를 내가 범할 수 있다는 사실을 깨닫자, 머리부터 발바닥 끝까지 전율이 울렸다. 숨이 벅차지고 기분이 끝없이 좋아진다. 그 고양이는 끝없이 버둥댄다. 그 부질없는 목숨이 다할 때까지.

낮에 다 못 돌아간 통돌이 세탁기 소리가 골목에 울린다. 점점 소리가 빨라지더니 뚝, 하고 소리가 멈춘다. 삐 비비빅-, 세탁의 완료를 알리는 음악 소리와 함께 탈, 탈, 탈-. 하고 작동을 그만둔다. 가로등은 깜빡이고, 그 아래의 한 남자는 움직이지 않는다. 이윽고 그는 일어선다. 상기된 얼굴로 주먹을 꽉 쥐고는 골목으로 유유히 사라진다. 그의 발자국에는 미처 숨기지 못한 흥분이 묻어있었다.

.

.

.

20XX 년 X 월 X 일, 00 일보 "길고양이 죽이는 엽기 범행. 더욱 심해지는 동물 학대에 대책은 없는가?"

'나흘 전부터 XX 시의 경찰에게 비슷한 내용의 신고 전화가 여럿 걸려 왔습니다. 첫 신고 전화는 고양이가 가로등 밑에 죽어있어 징그럽다며 치워 달라는 민원 전화, 두 번째는 고양이가 하수구 위에 피를 흘리며 죽어있으며 누군가가 칼 따위로 일부로 그은 것 같다는 전화, 세 번째는 고양이의 인대가 모두 끊어지고, 온몸에는 기다란 상처투성이라며 울먹이는 목소리로 걸려왔습니다. 이러한 신고 전화는 여러 차례 반복되었습니다. 경찰은 힘없는 동물을 잔악하게 죽이는 악질적인 범행이라며, CCTV와 증인을 확보 중이라고 발표했습니다. (후략)'

ㄴ 이거 완전히 미친놈 아님? 이런 새끼는 다 싸잡아서 사형시켜야 함.

ㄴ 어떻게 한 생명을 이렇게 잔혹하게 죽일 수가 있냐⋯. 이건 사람이 할 짓이 아니다.

ㄴ 정부는 당장 법 강화해야 한다. 이런 사이코 새끼가 연쇄살인범 되는 거임.

・

・

・

나는 처음으로 이 기사를 마주하자마자 심장에서부터 온몸의 모세혈관, 그 무작위의 세포들 에게로 혈액이 아닌 전기가 흐르는 듯한 착각이 일었다. 둥ㅡ, 둥ㅡ, 둥ㅡ. 내 가슴속에서 의미 없이 뜯기던 시시하고 고장 난 기타 소리는, 이제 선을 잘못 꽂은 일렉기타의 괴성처럼 빠르고 힘차게 뛴다. 이 기사는 게시된 지 1시간도 채 지나지 않아 일일 최다 댓글 수와 조회 수를 기록했다. 댓글 창의 모두가 나를 향해 말하고 있다. 이 글을 본 모두가 나를 생각하고 있다. 증오라도 상관없어. 그 감정 따위가 뭐든 일단 나를 보고 있다는 거잖아? 나의 기사가 20대 중반 남성이 자택에서 홀로 사망했다는 멍청한 내용이 아니라 살아있는 무언가를 무참하게 살해한 살해범으로 올라왔다. 사람들은 나를 한심하고 어리석은 이가 아닌 소름 끼치고 무서운 두려움의 대상으로 보고 있다. 순전히 궁금증을 위해서 한 일이 얼떨결에 여태 살면서 받아본 관심의 두 배쯤으로 돌아왔다. 기사를 읽고, 읽고, 또 읽으니 문득, 이런 생각이 들었다.

'고양이만 해도 이런 일이 일어나는데, 만약 사람이라면?'

상상만 했을 뿐인데 벌써 손발이 저릿하고 얼굴이 달아오른다. 고양이와는 차원이 다르게 모두가 날 기억하고, 보고, 나에 대해 말할 것이다. 그래. 고양이도 해봤는데 사람이라고 뭐가 다르겠어? 어차피 죽으면 다 똑같은 고깃덩어린데. 제 손 만한 고양이가 버둥대는 느낌이 아직도 머릿속에 만연한데, 고양이의 세 배쯤 되는 사람이 제 손 안에서 버둥대고 살려달라 울면 무슨 기분이 들까? 고양이는 네다섯 마리째 죽이니까 질리는 참인데, 사람이면 고양이만큼 빨리 질리진 않겠지? 내가 사람을 죽인다면 그것이 재미있을 것이라는 명제에서 참이라는 결론이 성립되자 모든 계획이 완성되었다.

.
.
.
.

습기 찬 공기의 눅눅함을 헤치며 걸어가는 한 여자가 있었다. 불안하게 깜빡이는 가로등 아래로 날벌레들이 몰려들어 무수한 선들을 그리고 있다. 그 여자는 온몸에 진득하게 달라붙는 축축한 공기를 없애려 쉴 새 없이 팔을 움직이며 손 부채질을 해댄다. 그때 누군가가 갑자기 그녀의 어깨를 툭, 하고 집는다.

　　"저기.. 혹시 사람이 죽으면 어떤 냄새가 나는지 아세요?"

　　"네? 그게 무슨.."

　　퍽-.

　　.

　　.

　　퍽, 퍼억-.

　　.

　　.

　　쿵-.

제2화 BREAK UMBRELLA

허랑

0. 질척거리는 소리가 난다. 어쩌면 비명소리거나, 덜컹거리는 기계의 엔진 소음 같기도 한데, 어째서인지 나는 이 기분 나쁜 이명이 퍽 익숙하게 느껴져서 차마 그것에 저항할 의지조차 떠오르지 않는다. 그리고 어느 순간, 어지러이 상념에서 눈을 뜨면, 나는 내가 정서 불안에 시달리고 있다는 것을 뼈저리게 깨닫는다. 지금 상황에서 들려야 할 건 질척거리는 소리나 누군가의 비명 소리가 아닌 아득하게 쏟아지는 빗소리였어야만 했으니까..

1. 비를 피해 숨어든 낡은 정류장은 애석하게도 모든 비를 막

아주진 못한다. 설령 그게 썩 탐탁지 않은 일이더라도 나는 그것에 불만을 표할 순 없다. 손에 들려 있는 우산은 어떻게 된 일인지 이리저리 휘고 찢겨 영 상태가 좋지 못했으므로, 나는 하나 남은 피난처에 불만을 표출할 수 있는 처지가 아니었다. 세차게 내리는 비가 지금 당장 그칠 것 같지도 않았다.

  2. 너머에 빛이 보인다. 마치 섬광처럼 나타난 그것은 언뜻 보기엔 승용차 같았는데, 바로 내 앞에 세워진 그 차가 문득, 너무 익숙하다는 생각이 채 들기도 전에.

  3. "베넷, 내가 여기서 널 보게 될 줄은 몰랐는데…. 눈코 뜰 새 없이 바쁘다더니 고향엔 무슨 일로 온 거야?"

  바로 옆 좌석에 앉아있는 누이가 내게 아는 체를 하며 말을 걸어온다. 어머니가 걱정 많이 하셨어, 네가 나간 뒤로 소식이 없어서…. 그리고 한치의 예상도 빗나가지 않고 새삼 불유쾌한 말까지 덧붙인다. 이제 와 나는 처음으로 이곳에 온 게 굉장히 후회된다. 여기서 이 여자를 만나게 될 줄 알았다면 무슨 일이 있어도 고향에 내려올 생각 따윈 결단코 하지 않았을 텐데.

"아…. 누나, 물론 그랬지. 이 빌어먹을 시골 촌 동네에서 나왔을 때부터 난 늘 바빴어."

베넷이 옅은 실소를 흘리며 다시 말을 잇는다.

"…그 사람 헛소리만 아니었어도 난 아마 영원히 일에 붙들려 있어서 여길 다시 내려올 생각조차 못 했을 거라고."

"하지만, 베넷…. 그래, 알아, 네가 집이랑…. 부모님에게 불만이 많았던 거. 하지만 너도 알잖아, 어머니가 모든 유산을 큰오빠에게 위탁했던 건.."

-덜컹!

낡은 고물 승용차가 아슬아슬하게 방지턱을 넘어가며 내는 소리는 썩 좋은 소리는 아니었지만, 전부터 길어지고 반복되는 제 누이의 말을 끊는 데에는 상당히 유익한 역할을 한다. 나는 속으로 안도하고, 누이는 한숨을 쉬곤 특유의 느릿한 몸짓으로 핸들을 돌린다.

그리고 적막이 떨어지기 무섭게 몸이 무겁게 내려앉는 듯한 기분이 든다. 내가 이 정도로 피곤할 일이 있었나. 아무리 제 누이와 어느정도 불편한 만담을 주고받았다고 해도. 오랜 시간

동안 쌓여왔던 무거운 피로는 마치 몸의 주도권이 빼앗기는 느낌을 안겨준다. 그러니까, 뇌가 정상적인 판단을 할 수 없고, 눈은 이리저리 풀리며, 종내엔 내가 누구였는지조차 잊게되는 그런 사특한 느낌. 어쩌면 직감. 무엇이든간에 말이다.

 곧 정신이 끊어지고, 내가 잠재의식의 밑으로 스러지면, 그리고 언젠가 남이 편안한 꼴조차 보기 불쾌해 하는 누이가 날 그물 밑에서 끌어올린다면 이 피로함이 어느정도는 가시겠지..

 4. 어머니! 사랑하는 어머니……

 12. 우리는 거룩한 산 비탈길을 지나, 고결한 언덕을 올라가고, 다시 내려가고, 또 다시 머나먼 비탈길을 지나네. 고행의 여정은 고통스럽기 그지없구나…

 7. 차는 산 비탈길을 지나, 언덕을 올라가고, 다시 내려가고, 또 다시 비탈길을 지나서, 또 다시 산 비탈길을 지나, 언덕을 올라가고, 다시 내려가고, 또 다시 비탈길을 지나서, 또 다시 산 비탈길을 지나, 언덕을 올라가고, 다시 내려가고, 또 다시 비탈길을 지나서, 또 다시 산 비탈길을 지나, 언덕을 올라가고, 다시

내려가고, 또 다시 비탈길을 지나서, 또 다시······

17. "어머니, 이건 제가 가져도 되지요?"

누이가 질문한다. 그리고 이건 그녀의 확신이자 단언이다. 그녀의 손에는 작은 인형이 들려 있었는데, 매끈한 검은 단추가 얼굴 양쪽으로 달려 있는 귀여운 곰 인형이었다. 배 부분을 걸어차면 녹음된 소리를 들려주는, 누구라도 빼앗고 싶어지는 앙증맞은 나의 것이었던 곰인형.

"그래도 괜찮지, 내 동생?"

누이는 특유의 멍청한 웃음 소리를 내며 단단한 쐐기를 못박곤, 그 위에 퍽이나 달콤한 껍질을 뒤집어 씌워 그것이 마치 제 자유의지인 마냥 포장한다. 늘 그렇듯이, 이번에도.

18. 아아... 몇백 번도 더 다시 재생된 파노라마가 잠재의식 속에서 펼쳐진다. 마찬가지로 나는 저항할 수 없음에, 이것을 거부할 수 없다. 비록 내가 이곳의 유일무이한 조물주이자 창조주라고 하더라도 이곳의 실질적인 지배자는 늘 따로 있었다. 그

것은 하나의 객체였으나 본질적으로 나의 주체가 아니었으므로.

19. 하나, 둘, 셋, 넷... 다섯 계단 위의 층계참에 곧게 서있는 여자가 날 내려다본다. 끔찍하다. 숨이 막히고 고통스럽다. 마치 긴 늪에 빠진 것처럼 고통스럽다. 저 눈이 끝없는 늪에 빠진 내게 이렇게 말하는 것만 같았다. 아직도 미련이 남니. 그래, 그런 식으로. 크림을 배부르게 먹은 고양이처럼, 고고하고도 만족을 모르는 낯빛이다.

그러나 그게 제 누이였던가. 층계참 위에 서있던 여자가 제 누이였던가? 그건 단지 불안정한 유년 시절의 기억의 편린이지 않았던가.

24. 바로 옆 좌석에는 내 누이가 앉아있다. 어쩌면 괴물이거나, 죽을 때까지 집을 떠나지 못한 고양이 찰리거나. 셋 중에 무엇이든 간에 썩 유쾌한 일이 되진 못하리라. 반대로 셋 중에 그 무엇도 제대로 된 것이 없다면 그건 그것대로 불유쾌한 일이 되겠지.

누이는 핸들을 잡고, 옆 창문을 바라본다. 가녀린 손에 들린 핸들이 기약없이 돌아간다. 질척거리는 소리를 내며, 왼쪽으로,

오른쪽으로, 멈추고, 다시 오른쪽으로. 마치 핸들이 누이의 손목을 끌고 가는 것만 같다. 목적지에 완벽하게 도착하기 위해. 나는 이 길 끝의 목적지가 어딘지 어렴풋이 알고 있다. 잊어버렸거나.

여전히 누이는 창문을 바라본다. 그리고 문득, 무엇을 보기에 저리 뚫어져라 쳐다보는지가 궁금해 창문 밖을 내다보면, 도로 표지판이 좁은 간격으로 끝없이 이어져있는 퍽 기괴한 광경이 눈에 들어온다.

눈을 느리게 끔뻑이고, 흐릿한 내용의 표지판을 보면, 그 안에는 야생동물 출몰을 주의하라는―

32.앞에 사슴! 사슴! 도대체 어딜 보는 거야! 거야! 잠깐만, 브레이크가 안 먹

33. 아직도 미련이 남니? 미련이? 미련? 미련이. 아직도? 아. 문이 안 열려! 안 열려! 안 열려! 열려! 열리라고! 열려! 열려! 제발...

34. 어머니! 사랑하는 어머니……

35.

36.

.

.

....

0. 질척거리는 소리가 난다. 어쩌면 비명소리거나.

제3화 과자 사라짐의 진짜 범인

김효민

안녕? 내 이름은 김하율이야. 먼저 우리 가족을 소개하자면 엄마, 아빠, 나, 여동생, 남동생 총 5명이 같이 살고 있어. 그중에서도 식욕이 많은 나는 먹을 것을 제일 사랑하는 첫째 이자 우리 집의 장녀야. 처음에는 스트레스를 받으면 먹을 것으로 풀었는데 이제는 내 인생에서 정말 없어서는 안 될 존재가 되어버렸어. 하루엔 남들과 같이 세 끼는 기본으로 꼭 챙겨 먹고 중간중간에 간식을 많이 먹는 것 같아. 이제부터 내가 겪은 어이없고 기쁜 일이 담겨있는 일기를 들려줄게.

어느 날 내 과자가 흔적도 없이 사라졌다. 누굴까, 내 과자를 먹은 범인은.

일단 엄마와 아빠는.. 달콤한 과자를 별로 안 좋아할 것 같기에 이 사건에서 제외했다.

그럼 이제 남은 건 2명의 동생들이다. 남들이 보면 아무렇지 않게 생각할지 몰라도 나한테는 살인 사건이나 다름없다. 나는 반드시 내 과자를 먹은 범인을 꼭 잡고 말 것이다.

다시 사건을 총정리 해보자면 정확히 어제 저녁 7시 즈음에 내 책상 위에 있던 과자 한 봉지가 사라졌다. 여동생은 7시엔 학원에 있을 시간이어서 남동생이 제일 의심이 간다.
하지만 심증만 있을 뿐, 물증이 없었다. 난 이제부터 증거를 찾을 것이다.

방법은 아주 간단하다. 내 과자를 희생을 시킨다는 것만 빼면 말이다.

먼저 내 책상 위에 내가 제일 좋아하는 과자를 놔두고 내 옷장 속에서 숨어있다가 남동생이 오면 그때 나와서 화낼 것 이다. 반드시 꼭 잡고야 말겠어! 곧 있으면 동생이 올 시간이다.

일단 동생을 잡을 준비는 다 끝났고, 옷장 속에서 기다리면 된다. 시간이 지나고 밖에서 도어락 소리가 들리면서 누군가 내 방에 들어오는 소리가 들렸다. 그 순간 나는 설레면서 짜증 나는 마음으로 "너 딱 들켰어!!" 라고 말하는 동시에 옷장 문을 열어 얼굴을 확인했다.

나는 이때까지 내 과자를 먹은 범인이 남동생 이라 고만 생각 했었는데 내 생각이 틀렸다.

범인은..범인은 바로 우리 아빠였다. 나도 지금 이 순간이 놀랍기도 하고 어이가 없었다.

아빠가 언제부터 과자를 좋아했다고..이것도 내 착각인가? 이젠 내 말조차도 믿기지 않는 것 같다. 이때까지 아빠를 잘 안다고만 생각했던 나는 오늘 이 순간으로부터 그 생각이 와르르 깨져 버렸다. 아빠의 얘기를 들어보자면, 몇 주전부터 담배를 끊으면서 달달한 과자가 땡기신다고 내 방에 들어와서 내 과자를 먹은 것이다. 이 순간이 너무 나도 어이가 없지만 아빠가 담배를 끊었다니 마음이 놓이는 것 같다. 나는 솔직히 아빠가 담배를 절대로 못 끊을 것 같다고 생각했지만 아빠는 그 어려운 것을 이겨낸 것이다. 그래서 나는 유일하게 우리 집에서 내 과자를 먹을 자격이 있는 사람으로 허락했다. 이젠 다시는 아빠가 담배를 피지 않으셨으면 좋겠다.

쭉 이대로 건강하게 지냈으면 하는 마음이다. 그리고 나는,

평소에 많이 본다고 해서 잘 아는 것 만은 아니라는 것을 깨달았다. 앞으로는 아빠에게 더 많은 관심을 가지면서 더욱 더 좋은 관계를 유지해야겠다. 이젠 다시는 누구를 의심하는 일은 없을 것이다. 절대로.

제4화 그날.

홍승아

집에 살인범이 들었다. 온 집안은 피 칠갑이 되어 있고. 극도의 공포감을 조성하는 살인 현장 속에서 무책임하게도 2층에 숨어서 가파른 숨을 내쉬며 공포에 떨었다. 내 얄팍하고 끊어질 것 같아 안쓰럽기까지 한 숨소리를 듣고 강도가 2층으로 올라와 나를 곧바로 죽일 것 같은 팽팽한 긴장감 속에서 나는 식은 땀을 흘렸다. 멍청하게도 아무것도 할 수 없었다. 처참한 살인. 우리 가족 모두 그 살인마의 도끼 솜씨에 두개골이 갈라져 뇌수를 흘리며 죽었다. 보통내기가 아니라는 건 누구가 봐도 알 수 있을 정도였다. 정신머리가 얼빠진 놈도 아니었고, 뭔가 부족한 얼간이도 아니었다. 아마 한두 번이 아닌 전과를 가지고 있는 살인범. 나는 그렇게 생각한다.

운동을 조금 하신 아버지도 당해낼 수 없을 만큼 재빠르고 강한 힘을 가진 살인마. 나 같은 건 많은 힘을 쓰지 않아도 단번에 잡혀 살인마가 가진 날카로운 도끼로 내 두개골을 갈라버릴 것만 같았다. 그런 생각에 또 잠시 공포에 떨었다. 그런 와중에도 사리 분별은 잘 하니 아직 완전히 미치지는 않았던 거겠지. 그저 멍청하게 떨고 있었을 뿐.

지금 내가 제일 안전하다는 것을 알면서도 염치 없이 내 처지를 연민의 감정으로 받아들이는 내 뇌는 나는 불행한 사람이다. 라는 식으로 계속해서 말을 건다. 정말 무책임한 행동이었다. 그래. 정말 책임 없는 행동이야. 우리 가족의 가장인데. 정말 나는 내 가족을 버린 것이다. 다들 살려 달라고 외칠 때 공포에 목이 얽매여 나 혼자라도 살아야 겠거니 2층 다락문을 닫아버리고는 침대 안방 침대 옆 아무래도 작은 몸집을 더 구겨서 숨어있었다. 침대 밑에는 왜 안 들어갔냐고? 아래가 다 보이는 뻥 뚫린 침대 밑에 들어가 봤자, 화를 입어 더 고통스럽게 죽일 것 같은 강도이자 살인마에 대한 추론이다.

솔직히 말해서 지금 내가 어떻게 생각하고 있는지 모르겠다. 살인 현장 목격에 내 눈앞에서 사람을 죽어 나가는데. 정신 회로가 마비되는 것도 이상한 일이 아닌데 지금 잘 버티고 있는 것을 보면 참 기이한 일이었다. 경찰에게 전화를 하자니 강도가 배회하고 있는 1층에 전화 수단이 모여있었고, 놀라서 휴대폰도 들고 오지 않았다. 어리석은 나 자신을 보며 한심함을 느꼈다. 그러나 그런 점에서 다행인 점이 많았다. 1층에서 배회하고 있는 살인마가 2층으로 올라올 가능성은 거의 100% 겠지만 그럼에도 나는 살 수 있는 시간이 있기에. 독실한 신자도 아닌 것이 신에게 감사하단 기도를 올렸다. 정말 연결점 하나 없는 사고회로에 내가 이미 미쳐있다는 것을 깨달았지만 그 상황에서는 무엇을 못하랴, 살아남는데 급급했던 나인데. 그러나 나의 입에서는 단 하나의 반성하는 말이 나오지 않았다. 그래. 할 생각조차 없었다.

나의 세계는 나로 가득하다. 이 간단한 것이 나를 이리도 곤란하게 만들다니. 그래서 나는 나에게 말한다. 살인마 역인 네가 너를 죽이려 든다고, 네가 주인공이 아닐지 몰라! 그런 불행하고 짜증 나는 생각들을 접어가며 생존 욕구에 빠져서는 살겠다는 다짐을 했다. 살아가겠다, 나는 살아서 빠져나가겠다. 그런 생각이 얼마나 어리석은지도 모른 체로 말이다. 나는 늘 생각했다. 누구라도 날 구원해 줄 것이고, 그 신마저 날 구원할 수 밖에 없을 것이다. 나는 이 세계의 중심이고 다들 나의 얼굴을 모방하며 살아가니까. 그래, 나를 죽일 순 없다 .아무리 그 위대한 신이라도 말이다. 그래. 나는 죽을 수 없다. 죽어선 안되는 인물이다.

제4화 그 날.

스스로의 뇌 속을 이기적이고 자기 중심적인 감각이 나를 뒤덮었다. 나를 위한 자기 방어를 하기 위한 행동일지라도 나는 저런 생각을 하는 사람이 아니었다. 오히려 냉정하고 현실을 보는 현실주의자에 가까운 사람이었다. 그래, 이런 일은 나 답지 않았다. 분명히 방법이 있을 터. 내가 초인이 되는 일은 쉬운 것일지도 몰라.

나는 검은색 눈동자를 시퍼렇게 뜨고는 주변을 노려보았다. 벌벌 떨면서도 주변에서 탈출 할 때 쓸만한 걸 찾아보자는 것이였을까, 아니면 그저 심심했기 때문일까. 시야를 옆으로 조금 굴리자 검은색 머리카락이 방해 요소로서 들어왔다. 검은색으로 가득한 우리 집안. 어머니도 아버지도 동생도 전부 저런 머리카락 색이었다. 나는 내 머리카락 색이 저렇게 짙었는지, 언제 저렇게 징그럽게 길렀는지도 모른 체로 피로 들러 붙은 머리카락을 씻을 생각을 했다. 그러다 자아 분열이라도 생겼는지 머리칼을 꼭 끌어 안으며 나의 피라며 중얼거리고는 그 피 냄새를 맡았다. 철분 냄새에 토가 쏠리는 역한 냄새. 그런 모습에 환멸을 느끼면서도 그런 것 하나라도 없으면 곱게 미치는 건 물 건너간 상태라는 것을 잘 인지하고 있었기에   이런 희미한 희망 하나라도 붙잡고 싶었다.

이 불안정한 정신 상태를 진정 시키고자 최후의 수단인 신에게 빌었다. 신이시여. 나를 구원하소서. 이 불행하고 가여운 나를 구원하소서. 평소에 그리 독실한 신자도 아닌 것이 무신론에 가깝던 신앙심 없는 놈이 신을 수단으로 삼고는 불경한 신자가 되어 신에게 기도했다. 신성 모독에 가까운 행동. 그러나 그녀에게는 그런 생각을 할만한 여유가 없었다. 기도하고 기도하고 기도 할 뿐이었다. 그러나 그런 사고의 원점은 내 탓을 신의 탓으로 돌리기 위한 그저 이기주의자의 책임전가였다. 휙휙 바뀌는 정신은 그녀가 이미 미쳐있다는 것을 의미했다. 가여운 소녀.

극도의 공포감과 신이 자신을 구하지 않을리 없다는 충만감에 그만 얼어버려 깜빡이지도 않는 눈꺼풀 안에 들어가 있는 동태 눈알을 굴려서 주변을 살피자 내 앞에 처져있는 시체 한 구가 보였다. 검은색 머리카락에 짧은 똑 단발, 그리고 나와 닮은 쌍둥이. 내 동생이었다.

철렁.

'왜, 동생 역할인 네가 여기에 있어? 너는 1층에....'

혹시라도 2층으로 올라왔나 싶었다. 나를 이미 찾았는데 내가 그를 발견하지 못하고 이리 벌벌 떨고 있는 거라면? 이미 발각됐지만 나를 가지고 노는 거라면? 내가 신에게 빌게 아니라 내 몸이 움직이기를 빌었어야 했다. 이런 망할. 절망의 순간이었다.

심장이 빠르게 뛰었다. 도리어 터지다 못해 기능이 정지되어 차갑게 식어가는 느낌이다. 온몸의 장기는 위에서 떨어지듯이 붕 떠있고, 내가 살 수도 있다는 것에 대한 교양감 마저 들었다. 그러다 닫힌 문 뒤로 무거운 발소리가 내 귀를 한대 쳤다. 한 발, 두 발, 세 발. 멈출 줄 모르고 애태우듯이 천천히 다가와서는 문 앞에서 멈춰 섰다. 눈앞의 모든 세상이 회백색으로 물들어가고 나를 죽일 듯이 쫓아 오는 시간은 날 죽은 사람과 동일하게 만들었다. 저 퍼질러 져있는 동생과 같은 상태로 나를 만들어갔다.

살인마가 날 죽일 것이다. 죽이고는 내 내장을 목에 걸고 춤을 추며 나를 모독할 것이다. 고조된 공포감, 두려움. 움직일 수 없는 죽음의 압박. 죽겠구나. 난 죽었어. 나는 그래도 버텨보자는 생각으로 얼마 없는 희미한 숨 구멍을 틀어 막고는 살인마가 나를 발견하지 않았으면 하는 마음으로 눈을 질끈 감고 기다렸다. 아마 나도 내가 이리도 멍청한 결정을 할지 몰랐을 것이다. 그렇게 행동 하겠다고 해서 그렇게 행동 됐을 리 없는 상황인데.

눈꺼풀은 닫았지만 눈알은 아직 내 눈꺼풀 안을 비추고 있었다. 그 눈꺼풀 안의 어둠이 내 눈알을 덮쳤다. 당연한 결과다. 눈을 감았으니 어둠이 찾아왔지. 그러나 당연하지 않았던 이 상황에서 당연한 일은 하나의 구원과 같아서 무심코 안심해버렸다. 지금 이대로 라면 죽어도 괜찮지 않을까. 그런 미친 생각까지 하게 되었다.

남들보다 생존욕이랄까... 살아남고 싶다는 욕구가 강해 살아남았건만, 지금은 그저 죽음을 받아 들이려 하고 있다. 문 바로 앞에 죽음이 기다리고 있는데도 이런 편안한 사고를 가질 수 있다는 건 정말 단단히도 정신이 나갔다는 소리다. 정상이 아니란 소리겠지. 그러나 그런 사고는 필요 없다는 것인지 생각을 따라 잡으려는 감정이 깊은 잠을 불러와 나를 덮었다. 넓고도 가벼운 막이 내려앉는 느낌이었다. 참 아둔하고 어리석지. 지금 수면 상태에 빠져버리면 그만 죽어버린 다는 것을 잘 알면서도 이리 태평하게 잠을 자려고 하다니. 내 의지의 문제로구나.

.

.

.

철컥.

문이 열리는 소리. 완전히 잠에 빠진 건 아닌가 보다. 이제 살인마가 날 죽이겠지. 정말 덜 고통스럽게 죽여줬으면 좋겠다만...

"환자분, 오늘 치 약이에요. 오늘은 왜 거기에 있어요?"

"...네?"

"오늘 치 약이에요."

"...여긴...어딥니까?"

"환자분, 여기는 정신병원 병동입니다. 오늘 분의 약을 투여하겠습니다."

"...저는, 어제... 집...에 있었습니다. 정신 병원이라뇨..."

그럴 리가 없다.

나는 내 가족을,

"환자분, 팔을 내밀어 주세요, ... 네. 감사합니다."

나는, 내 가족을. 아니, 가족 역할인 나들을.

"..나는...어제...내 가족들과...."

제4화 그날.

"환자분, 어서, 약을 투여 받으시고 평화롭게 밖을 바라보시죠. 늘 하던 대로말이에요."

"...나는... 나들을.... 수많은 나를...."

"환자분...?"

죽였다.

이름 : 미상. 본인 포함 주변인들. 민증에도 등록되어 있지 않음.
성별 : 여성.
나이 : 불명. 이 또한 등록되어있지 않음.
특이사항 : 특별히 없음.
병명
이하 서술.

캡그래스 증후군(망상증).

또는

카그라스 증후군(망상증)

제4화 그날.

[capgras syndrome(delusion)]

　증상

이하 서술.

　자신의 친구나 배우자, 또는 가족, 주변인들이

　'자신과 똑같이 변했다고 생각하는 일종의 망상증.'

　정의

이하 서술.

　주변의 친구, 배우자 혹은 가족들이 본인이 아니라

　'본인과 똑같이 생긴 사람으로 뒤바뀌어 있어도 믿는 정신

병.'

　추가.

　'자신과 똑같이 생긴 분신이 있다고 믿는'

　경우 존재.

제5화 내가 모르는 일들

구희은

2023년 10월 18일

갑자기 경찰이 들이닥쳤다

난 아무 짓도 하지 않았다

- .
- .
- .

"2023년 10월 4일 범인 A 씨가 드디어 경찰에 체포됐습니다. 시민들은 연쇄살인을 저지른 A 씨를 사형시키자는 내용의 탄원서를 계속해서 올리고 있습니다.

갑자기 경찰이 집에 들이닥쳐 붙잡혔다. 어젯밤 나는 아무 기억도 없다. 나는 그저 억울하다고 호소해 보지만 아무도 듣지 않는다.

몇 시간이 지나고 잠에 들었다. 일어나 보니 유치장 안이다. 나는 범인이 아니라고 제발 풀어달라며 저항했다. 하지만 듣는 이는 아무도 없었다.

그러다 한 형사가 다가오며 말을 붙였다. "아까까지만 해도 죽은 듯이 가만히 있더니 왜 이래?" 무슨 소리지 나는 방금 잠에서 깼는데.. 생각도 잠시 경찰서 문을 세게 밀치면서 엄마가 들어왔다. 엄마는 쇠창살을 붙잡고 조용히 말했다. "무조건 모른다고만 해.. 다른 말은 하지도 말고 그냥 모른다고만 해!!" 엄마의 목소리가 무서웠다. 엄마의 이렇게 단호하고 강하게 말하는 모습이 낯설다. 곰곰이 생각해 봤다. 과연 조용히 있으면 나는 풀려날 수 있을까?

여긴 시계도 보이지 않는 곳이다. 며칠째 유치장에 처박혀있는지 알 수가 없다. 나는 어떻게 되는 걸까. 언제쯤 풀려나게 될까. 다시 나갈 수 있긴 할까? 여러 가지 생각들이 머리를 스쳐 지나간다. 전에 봤던 사람과는 또 다른 형사가 갑자기 나에게 와선 문을 열며 나에게 말했다. 자기가 범인이라며 자수를 하러 온 사람이 있다고.. 그럼 그렇지 왜 이제서야 나타난 거야? 이런 좁고 더러운 곳에서 하루빨리 나가고 싶다.

집에 오자마자 나는 핸드폰을 돌려받고 날짜를 확인했다.
어떻게 된 거지? 일주일쯤 지났나 싶었는데 2주나 지나있었다니 말도 안 된다. 이게 어찌 된 일인지 생각할 틈도 없이 현관문을 두르리는 소리가 들렸다. 문 앞에는 엄마가 서 계셨다. 문을 열자마자 엄마는 눈물을 펑펑 흘리며 나를 꼭 껴안았다. 일단 엄마를 집 안으로 모시고 진정을 시키자 엄마가 말을 꺼냈다.

어릴 적 나는 조용하다가도 다른 모습을 보였다고 한다. 그럴 때마다 나의 말투나 걸음걸이 생김새도 조금씩 달라졌다고 한다. 엄만 그런 내 모습에 의문했고 나를 소아과에 데려갔다. 소아과에선 나를 데리고 정신병원으로 가보라고 권유했다. 그 말을 들은 엄마는 좌절했다. 하지만 아무 일도 없을 것이라 믿고 내 손을 꼭 쥐고 함께 그곳으로 갔다. 거기서 들은 말은 엄마에게 큰 충격을 주었다. 의사는 나를 다중인격장애라 했고 나를 위해서 하나만의 인격으로 생활하는 것이 좋을 거라고 했다. 그 후 엄마는 내게 매일 약을 먹게 했고 2달 전까지는 평범한 생활을 했다. 하지만 내가 독립을 하고 나서부터 약을 조금씩 끊기 시작해 지금은 나의 다른 인격이 살인을 저질렀고 엄마는 나를 빠져나오게 하기 위해 사람을 구해줬다.

이 일은 엄마와 내가 지켜야 할 영원한 비밀이다.

오늘의 일기 끝.

제6화 그날 밤의 진실은

김연아

학교가 끝난 방과 후 시간, 노을이 창문을 통해 들어오는 한 교실 안에 두 여학생이 있다.

자세한 내용은 모르겠으나, 친구 사이였던 둘이 싸우고 있었다.

"아니, 루리야. 내 말 좀 들어봐. 난 그냥 네가 걱정되어서.."

"닥쳐! 네가 뭔데 걔를 그딴 식으로 말하는데?!"

"야. 아무리 그래도 내가 너랑 같이 있던 시간이 얼만데 말을… 그런 식으로.. 하.. 됐다. 그래. 네 마음대로 해."

화가 난 유화는 자신의 가방을 가지고 교실 문을 열고 밖으로 나왔다. 텅 빈 교실 안, 혼자 남은 루리는 멍하니 창문 밖을 보고 있었다. 한 1시간이 지났을 때일까. 퍼뜩 정신을 차린 루리는 자신이 학원에 갈 시간이 다가온다는 걸 알고 허겁지겁 가방을 챙겨 교문 밖으로 나가 학원으로 향했다.

다음날 학교,
평소 사이가 좋은 걸 알던 반 친구들은 둘의 싸한 분위기를 눈치챘다. 반에 있던 몇몇 친구들은 그들의 사이가 다시 좋아지게 하고 싶어 온갖 방법은 다 써봤지만, 달라진 점은 없었다. 늘 같이 하교하던 시간은, 서로에게 쓸쓸함을 남겨주는 그런 어색한 시간이 되었다.

그날 저녁, 저녁을 먹은 후. 평소처럼 공부를 하던 유화에게 루리의 전화가 걸려왔다. 그러나, 10년지기 친구였던 만큼 실망감도 컸었기에 유화는 루리의 전화를 무시했다. 유화는 잠들기 직전, 알 수 없는 찜찜함을 느꼈지만 '기분탓이겠지'라며 잠에 들었다.

'그 일'을 알게 된 건 바로 다음날, 아침이었다.
아파트에 살던 유화는 자신의 집 앞에 경찰차가 있는 걸 보곤 조금 놀라긴 했으나, 자신과는 상관없는 일이라 생각하며 별 생각없이 학교로 향했다.
교실에 들어오자 마자 들리는 우는 소리가 사방에서 들렸다. 무슨일인가 하고 상황파악을 하던 도중, 한 책상에 흰 백합꽃이 놓여있는 걸 보았다. 그 자리의 주인이 누구였는지 생각하다 알아차렸다.

'루리!! 루리 자리잖아 저기!!'

루리, 내 10년지기 친구였던 이루리 말이다. 바로 달려가서 무슨일이냐고 물을 차에 수업이 시작되는 걸 알리는 듯 종소리가 울렸다. 반 친구들도 조금씩 진정하는 모습이 보이더니 하나 둘 자리에 앉기 시작했다. 유화도 일단 분위기에 맞춰 자리에 앉아 수업을 듣기로 했으나, 절친이었던 루리의 죽음에 대해 생각하느라 집중이 되지 않았을 수 밖에 없었다.

그 날 점심시간, 밥을 먹고 교실로 올라오는 도중 애들이 하는 말들이 하나 둘씩 들리기 시작했다. '2학년 8반 걔, 자살했대.'이라던가, '맞아, 옥상에서 뛰어내렸대' 이런 어처구니 없는 말들 말이다.

그치만 난 그게 사실이 아니라는 걸 안다. 루리는 '자살하는 사람은 너무 한심하다', '왜 자기 스스로 노력하지 않고 성공을 바라느냐' 와 같은 말을 자주 말했다. 그래서 난 루리가 자살하는 사람에 대한 인식이 좋은 편은 아니라는 걸 알기 때문이다. 그 생각이 떠오른 이후, 유화는 '혹시 타살이지 않을까?' 라는 생각이 머릿속을 지배하기 시작했다.

학교가 끝난 후, 유화는 루리의 집으로 갔다.

어릴때부터 같이 자랐던 터라 루리의 부모님과 잘 알던 사이였기에 루리의 핸드폰을 손에 얻을 수 있게 되었다. 경찰은 아직 루리의 폰을 조사 하진 않은 것 같았다.

전화번호부터 메시지 내용, 카톡, 사진까지 전부 뒤져보았다.

이것저것 다 뒤져보니 의심되는 용의자는 2명으로 추려졌다. 첫번째는 얼마전에 헤어진 루리의 전남친인 김찬슬, 두번째는 나와 루리 둘 다 알고 지내던 5년지기 남사친 박유찬(유화랑은 연락을 잘 안하지만, 루리랑은 자주하는 편인 것 같다.) 가장 의심되는 사람은 이렇게 2명이다.

그 후 '왜 루리를 죽였을까..' 라는 문제를 몇시간 동안 고민하고 있었을 때였다. 앱서랍에서 '숨겨진 앱 보기'라는 창이 유화 눈에 밟혔다.

무의식적으로 창을 클릭해버린 유화는 한 일기 앱을 보게되었다. 그 일기앱엔 비밀번호를 입력해야 볼 수 있었다. 그러나 평소에 비밀번호 같은 건 거의 루리 자신의 생일로 한다는 걸 알고 있었던 유화는 루리의 일기를 읽게 되었다.

가장 최근에 쓴 일기부터 보기로 했다. 날짜는 2015년 8월 31일.. 루리랑 싸운 날이기도 하고, 루리가 사망하기 하루전이기도 했다.

2015.8.31. 금요일.

오늘 기분은 그럭저럭.. 좋지도, 나쁘지도 않는 날이다. 학교에서 유화랑 싸워서 기분 안좋았는데 학원 끝나고 집으로 가던 도중, 꼬맹이가 디엠으로 오늘 저녁에 잠깐 시간 되냐고 물어봤다. 당연히 좋다고, 된다고 답했다. 꼬맹이가 오랜만에 유화랑 나랑 셋이서 다 같이 놀러가자고 했지만, 그때 당시엔 유화랑 싸우고 온 후 뒤였어서.. 유화는 요즘 공부한다고 바빠서 놀 시간이 없다고 둘러대고 단둘이서 놀러가자고 했다. 아 빨리 만나면 좋겠다고 생각했었는데 집에 와서 옷갈아 입으면서 고민에 빠졌었다. 그렇게 말한 내가 너무 후회돼서 유화에게 사과하고 꼬맹이랑 놀러가자고 말하려고 전화를 걸었다. 역시는 역시인걸까,유화는 아직 마음이 풀리지 않은 것 같다. 뭐 10년지기 친구인 나로썬 아직 안 풀렸다는 걸 예상하고 있었지만 그래도 서운한 마음은 있는 것 같다. 이걸 보진 않겠지만.. 유화야.. 미안.. 넌 날 걱정해 준거였는데.. 내가 너무 감정적이었네.. 내일 학교 가서 사과해야지..

아무 미동도 없이 집중하던 유화의 눈에서 눈물이 쏟아져나왔다.

조용히, 소리없이 울던 유화는 다시 마음을 잡았다.

'루리야. 내가 꼭 널 죽인 범인을 찾을게.' 라고.

그리곤 일기 내용을 요약해 자신의 추리 노트에 적었다. 그리고 꼬맹이.. 란 단어가 도대체 무슨 뜻일까 생각하던 도중, 옛날에 박유찬이 키가 우리들보다 작아서 꼬맹이라고 불렀던 기억이 생각났다. 마지막으로 만난 애가 바로 유찬이라는 걸 알게 되었다. 처음엔 별 대수롭게 느끼지 않았던 것들이 이상하게 보이기 시작했다.

다툰 것 같았던 루리의 전남친이었던 찬슬과의 DM 내용, 카드 내역에서 봤던 정신과 치료 비용.. 이상하게 느껴진 점을 찾자마자 바로 루리 집으로 갔다. 저녁 8시 즈음이 지났을 무렵, 나는 루리 부모님의 허락을 받고 루리의 방에 들어갔다.

방을 이곳저곳을 뒤져가며 이상한 물건이 없는지 샅샅이 찾아봤다. 그러다, 책상 옆에 있던 서랍장 맨 아래 칸에서 빼곡히 써져있고, 눈물 자국이 군데군데 있는.. 조그만한 쪽지를 찾았다. 읽어보니 대략 내용은 이랬다.

찬슬이랑 주말에 만나서 놀이공원 갔다왔는데.. 그렇게 안 봤는데.. 거기서 데이트 폭력 당했다. 난 분명히 싫다고, 하지 말라고 말했는데.. 진짜 찬슬이 이런 애일 줄은 몰랐다.. 이걸 쓰는 동안도 손이 덜덜 떨린다. 진짜 나 이제 연애 어떻게 하지.. 유화.. 한테 말해볼까.. 내일 학교는 어떻게 가지.. 유화.. 한테 사과해야하는데.. 내일 학교 갈 용기가 안 난다.. 난 어떻게 해야할까.. 나.. 진짜 이제 어떡하지.. 그냥.. 죽어버릴까..

이걸 보고 난 후, 나는 찬슬이에게 전화를 걸었지만 받지 않았다. 아마 내가 루리의 친구인 걸 알고 있어서 차단한 것 같다. 찬슬이에게 물을 기회가 사라진 나는 고민도 하지않고 유찬이한테 전화를 걸어 떠보는 방식으로 계획을 바꾸었다. 전화를 걸어 목소리를 들어보니 나는 확신했다. 얘가, 5년지기 남사친

이 진짜 범인이었다는 걸. 그걸 딱 눈치 채자말자 바로 통화 녹음을 켰다. 증거를 남기기 위해서.

그리고 내가 원하던 대답이 들려왔다.

"내가.. 내가 루리.. 루리를..죽여버렸어.." 라고.

사건의 전말은 이랬다.

데이트 폭력을 당한 루리는 고민 끝에 부모님에게 당했다는 사실을 말했다. 루리의 부모님은 그 사실을 알자마자 정신과 상담을 받게 하는 등 경제적으로 도움을 주셨다. 루리는 약도 처방받고 상담도 받으며, 시간이 점점 지나 유찬과의 약속 시간이 다가오고 있었다. 데이트 폭력으로 생긴 트라우마 때문에 가는 도중. 다른 사람의 시선이 너무나도 두렵다는 생각이 들었던 루리는 어지럽고 숨 쉬기가 힘들어졌다.

하지만, 저 멀리 루리를 기다리고 있는 유찬을 본 후로부터 점점 호흡도 돌아오고 어지럼증도 괜찮아졌다. 그 후, 카페에서 디저트를 먹고, 야경이 좋은 건물 옥상 위로 올라갔다. 건물은 세월의 흔적이 조금 남아있었지만, 나름 분위기는 괜찮았다.

그후 몇분동안 침묵이 이어졌다. 몇분이 지났을까.. 유찬이가 입을 열어 루리에게 말을 걸었다.

"나, 너 많이 좋아해." 라고

하지만, 그 일을 당한 지 얼마 지나지 않아서일까..다른 사람과의 '연애' 라는 것이 루리에겐 그저 '트라우마'에 불과했다.

그래서 루리는 잠시 머뭇거리다 말했다.

"미안하지만, 난 너와 못 사귀겠어."

이 말을 들은 유찬은 어이가 없다는 듯이 따지기 시작했다. "너 그럼 나 가지고 논거야? 난 너랑 당연히 썸인 줄 알았는데 넌 왜 나한테 꼬리쳐?"라고 말하며 루리의 어깨를 툭툭 쳤다. 그러자 그날의 일이 기억 나듯, 루리는 그저, 뒷걸음질을 칠 뿐이었다.

옥상 난간까지 몰린 루리는 얼어붙어 아무 말도 할 수 없었다.

아무 말이 없는 루리의 행동이, 너무나도 어이가 없던 유찬은, 루리의 어깨를 세게 툭툭 쳤다.

그 순간, 뒷걸음질을 치던 루리는 더이상 발 디딜 틈이 없어 그만 건물 아래로 떨어지고 말았다.

그렇게 모든 걸 털어놓은 유찬은 경찰에 의해 체포되었다.

그 후 루리의 장례식이 시작되었다. 하루 아침에 절친을 잃었기에 허무함이 밀려왔다. 생각보다 루리의 빈자리가 너무나 컸다.

"루리야. 거기서는 행복하게 살아. 내가 미안해."

이젠 더 이상 용서를 받을 수 없는 나는 그렇게 하나뿐인 절친을 잃었다.

제 7화 진실

문수인

　우리 형은 경찰이다.

　이번에 일어난 살인사건만 해결하면 바로 수사반장이 될 수 있다. 이번 사건은 일가족 살인사건이다. 이 사건의 피해자는 박현수, 김이슬, 박미소, 박민수이다. 발생지역은 내가 사는 곳과 멀고 발생시각은 일요일 새벽이다. 일요일 새벽은 운행하는 고속버스가 많다. 왜냐하면 대학생이나 기러기가족 등 멀리 사는 사람이 가족을 만나기 위해서 왔다가 돌아가는 시간이기 때문이다.

아무튼 이번에 형이 꼭 이 사건을 해결해서 승진해야 한다. 난 아직 학생이고 형이랑 멀리 떨어져서 도와주진 못하지만 꼭 도움이 될 것이다.

내 머릿속에서 형 생각이 떠나가지 않는다. 그래서 형에서 계속 카톡을 보냈다. "형, 지금 사건은 어떻게 돼가?" 15분째 답이 안 오고 있다. 너무 불안하고 걱정되었다. 그래서 형이 근무하는 경찰서로 가서 형을 기다렸다.

기다리면서 알게 된 사실이 있다. 바로 용의자가 3명 정도로 추려졌다는 것. 첫 번째 용의자는 김민수, 살인사건이 일어난 집의 첫째 아들 박민수의 친구라고 한다. 김민수는 최초 목격자라고 한다. 사건이 일어나던 날 김민수는 박민수랑 파자마 파티를 했고, 핸드폰을 집에 두고 와서 집에 다시 갔다가 돌아와 보니 4명 전부가 죽어있었다고 한다.

여기서 알아야 할 점은 김민수와 박민수는 친한 친구이지만 이름이 같아서 김민수가 처음에 박민수를 싫어했다. 그 이유는 김민수가 5년 동안 짝사랑했던 여자가 박민수가 사귀게 되었다는 것이다. 두 번째 용의자는 마동석이다. 마동석은 호랑이파의 두목이자 박현수와 20년 지기 친구이다. 박현수는 마동석이 감옥에 들어갈 뻔한 것을 구해줘서 둘은 엄청 친해졌다. 그런데 2년 전 박현수가 비트코인에 빠져 마동석에게 1억을 빌려갔던 적이 있다. 그런데 지금까지 갚지 않아서 최근 둘 사이가 안 좋아졌다고 한다. 세 번째 용의자는 윤수지, 이 가족들과는 아무런 연관은 없지만 현장에서 나온 지문과 거의 일치해서 용의자에 올랐다고 한다.

이 이야기를 듣고 나도 형을 도울 수 있을 것 같아서 아무도 몰래 취조실로 들어갔다. 지금 막 취조를 시작했나 보다. 다행이다.

김민수는 굉장히 흥분한 상태였다. 저렇게 흥분하면 더 의심받을 텐데 너무 바보 같다. 김민수 취조에서는 얻을 수 있는 게 없었다. 그다음은 마동석 취조이다. 마동석 취조 때 우리 형이 들어갔는데 혹시나 마동석이 폭력을 휘두를 까봐 걱정되고 너무 불안해서 미칠 것 같았다. 마동석 취조에서 알게 된 사실은 마동석은 사건 당시 사건 현장 근처 목욕탕에 있었다는 것이다. 마지막 윤수지의 취조이다.

사실 나는 윤수지가 범인 같다. 지문이 거의 99% 이상 일치하다는데 아닐 수가 없다. 그리고 취조 내내 거짓말탐지기에서 심장박동이 이상할 정도로 요란했다. 근데 이상한 점은 이날 윤수지는 교통사고로 돌아가신 부모님의 납골당에 있었고, 그 거리도 엄청 멀다. 취조에서 알게 된 걸로 형사들은 CCTV를 확인하러 갔다.

확인 결과 윤수지는 납골당에 간 적이 없었고 심지어 윤수지의 부모님은 멀쩡하게 살아있었다는 것을 알게되었다고 한다. 이건 윤수지가 범인이다. 아닐 수가 없다. 형 또한 그렇게 생각했는지 윤수지를 범인으로 체포했다.

다행이다.

이번 사건이 끝나서 형은 이제 수사반장이 되겠지...

앞으로는 이렇게 큰 사건은 못하겠다.

그래서 이번에 죽일 새로운 타깃은 백지민이다. 이것도 반드시 잘 해낼 것이다. 그리고 이건 명백히 형을 돕는 일이다.

그러니 형이 기뻐하겠지...

제8화 아가페

조영서

윤찬흥, 직업이 의사인 그는 지금 그의 내연녀인 백은희에게 이별을 통보하고 있다.

자신의 와이프가 죽어서 죄책감이나 죄의식 따위를 느꼈던 걸까.

아니다, 이딴 생각을 비웃기라도 하듯 윤찬흥이 백은희와의 관계를 끝낸 이유는 다름 아닌 칼로 난도질당하여 죽게 만든 아내의 범인이 자신의 내연녀인 백은희라고 생각했기 때문이다.

윤찬홍의 아내는 국내에서 꽤 이름이 알려진 피아니스트로 곧 해외로 가 넓은 공연장에서 연주를 할 계획이었다.

그리고 또한 그녀는 남부럽잖은 외모부터 피아노로 벌어들인 수익도 꽤 짭짤했다. 피아노의 수익이 괜히 짭짤하겠는가, 그녀는 피아노만 칠 때면 신들린 피아노 실력을 보여 주었다.

반대로, 백은희는 집안이 무척 가난한데다 15살짜리 아들까지 하나 딸려 있었다.

하지만, 외모와 몸매만큼은 윤찬홍의 아내의
2배 아니 그 이상으로 비교가 안될 만큼 예뻤다.

그런 윤찬홍은 고작 가난과 중2 짜리 하나 때문에 그 여자와 자신의 유흥을 놓칠수 없었다.

더불어 윤찬흥이 다니는 성당이 백은희가 다니는 성당과
같은 곳이었기에 윤찬흥은 하늘이 주신 "기회"라고 생각했다.

윤찬흥은 백은희가 성당을 오는 시간에 맞춰 성당을 다니
기 시작했고 불과 1달만에 그들의 관계는 윤찬흥이 원하는 방
향으로 흘러갔다.

언제나 비틀어진 관계를 숨기는 것은 쉬웠고 그 생활이 벌
써 3년이나 지났다.

윤찬흥은 자신은 의사, 아내는 유명 피아니스트. 이젠 훤칠
하게 생긴 아들이나 곱게 생긴 딸 하나만 있으면 [완벽한 가정]
이라고 생각했다. 그리고 그 여자와의 관계만 들키지 않는다면..

그러던 어느날, 윤찬흥에게 생각치 못한 완벽한 가정에
대한 변수가 생겼다. 바로, 윤찬흥의 아내가 칼로 난도질 당한
상태로 성당 옆 골목에서 발견됐다는 것이다.

윤찬홍은 자신의 아내인 박희영이 처참하게 살해된 모습을 두눈으로 직접 봤고 그에 대한 두려움은 가시지 않았다.

죽인 이유에 대해선 정확하게 집히는게 없었다. 묻지마 살인인걸까. 하지만, 윤찬홍은 그렇게 생각하지 않다. 계획적인 살인이라고 확신했다. 그냥 촉이 그렇게 말했다.

윤찬홍은 자신에게 가깝거나 아내를 죽일 만한이유를 가진 사람을 찾고 관계를 끊기로 했다.

잘못하다간 자신이 쌓아온 커리어와 함께 죽을 수도 있으니.

용의자로 먼저 생각난 사람은 백은희였다.

백은희는 용의자가 되기엔 충분했다. 백은희는 무려 1년 전부터 윤찬홍에게 아내와 이혼을 할 생각이 없냐고 물었고 그럴 생

55
제8화 아가페

각이 없다고 말할 때마다 실망한 표정으로 윤찬흥을 바라보았다.

더욱이 윤찬흥의 아내인 박희영이 처음 발견된 장소가 성당 근처였기에 윤찬흥의 의심의 눈초리를 거둘 수 없었다.

만약 백은희의 목적이 윤찬흥의 아내의 자리라면 채워지고 난 후 다른 '목적'이 생길 수도 있기 때문에 백은희를 찾아가 관계를 끝낸 것이다.

복수심 같은건 없었냐고 묻는다면 그는 "예"라고 답했을 것이다. 애초에 윤찬흥은 진범을 밝혀낼 생각이 없었다. 이 사건을 묻고 자신의 회사만 지킬 수 있다면..

유명 피아니스트가 죽게 되자 세상은 떠들썩 해졌다. 지난 몇주간은《유명 피아니스트의 죽음》으로 인터넷 실시간 검색 1위에 오르내리기도 했다.

1달이 채 되지 않아 언제 그랬냐는듯 다시 잠잠해 지는게 마치 충분한 영양소를 섭취하고 긴 겨울잠을 자러가는 곰을 보는 것 같았다.

그렇게 시간은 계속 흘러갔고 다시 한번 유명 피아니스트가 죽은 계절이 돌아왔다.

1년간 윤찬홍의 생활은 평탄했다. 유명 피아니스트를 잃은 건 아깝지만 경찰 수사가 종료된 뒤부터 윤찬홍의 사업 주식이 끝없이 올라가 상황에 맞지않게 윤찬홍의 얼굴에 웃음 꽃이 피었다. 하지만, 얼마전부터 의문의 돌들이 자꾸 윤찬홍에게 날아왔다.

처음에는 아파트 옆을 지나다가 돌이 윤찬홍의 머리 위로 떨어질 뻔했고 두번째는 비가 오는 날에 차를 타고 달리던 도중에 돌이 날아와 창문을 깨뜨리기도 했다.

나중에 CCTV를 보러 갔을때도 그 CCTV마저 모형이라고 했다. 윤찬홍은 지금 이 일을 벌린 사람과 1년전 박희영을 죽인 범인이 같다고 생각했다.

　　혹여나 진짜 그들이 동일인물 이라면 윤찬홍은 다음 차례
가 자신이라고 생각했다. 그러곤 비이상적인 일들이 5번은 더
일어나자 윤찬홍은 이 이야기를 자신의 친구인 조성휘에게 털어
놓았다.

　　조성휘는 윤찬홍의 고등학교 동창으로 형사였으나 비리를 저
질러 퇴직 후 탐정 생활을 하며 살아가고 있다.

　　조성휘는 윤찬홍의 말을 듣고 경찰 짬빱이 있는지 수상한 점
을 파악하여 이 사건을 더 깊숙히 파기로 했다. 하지만, 용의자
는 그리 찝히는게 없었지만 1명만 손으로 꼽자면 천무전 뿐이
었다.

　　천무전은 윤찬홍과 공동으로 사업을 꾸렸으나 본인의 특허를
윤찬홍이 가로채며 크게 틀어지고 손대는 사업마다 족족 다 망
하여 빚더미에 앉게된 인물이다.

그렇게 그를 조사해 봤지만 큰 이득은 없었고 흐지부지하게 넘어가려던 찰나 윤찬홍은 천무전을 조사하던 손을 멈추고 생각에 잠겼다.

- 윤찬홍 : ' 내 아내는 죽었고 이젠 누군가 나까지 죽이려 한다. 더 이상 시간을 지체 할 수 없.. '

그때 주머니 속에 있던 윤찬홍의 휴대폰이 진동음을 울렸다.

윤찬홍은 문자가 온 것을 확인했고 발신자를 확인하자 온몸이 얼어붙었다.

"백은희"

기억 속에서 지우고 지우던 이름이 눈앞에 있는 걸로 모자라 문자가 왔다. 윤찬홍은 홧김에 손으로 메시지를 확인 했다.

- 내일 오후 2시 칠칠동 777번길 파란대문
앞으로 와요. 할말이 있어요.

할말이란게 뭘까하며 내일 오후 2시에 시간을 비워 두고
알맞은 장소로 찾아갔다.

좁은 골목길을 3번 정도 지났을까 파란 대문이 눈앞에 들
어왔다. 초인종을 찾으려 두리번 거리던 때. 뒤에서 목소리가
들려왔다.

- ??? : 초인종 없어요.

뒤를 돌아보자 아이스크림을 물고 있는 남자애가 있었다.
윤찬홍은 단번에 알아차렸다. 저 아이가 백은희의 아들인 백희
우라고. 윤찬홍은 마른 입술을 열었다.

- 윤찬홍 : 여기가 백은희 씨의 집이니?

백희우는 윤찬홍을 발끝부터 훑어보더니 입을 열었다.

– 백희우 : 네..근데 무슨일로?

– 윤찬홍 : 백은희 씨와 얘기 좀 하려고.

말이 끝나고 10초 간 정적이 흐르더니 백희우는 자신의 엄마는 시장에 장보러 갔다고 말하고는 일단 자신의 집으로 들어오라고 하며 파란 대문을 밀었다.

대문을 열고 마당을 지나 백희우는 윤찬홍을 반지하로 안내했다.

덜컹거리는 문을 열고 안으로 들어가자 바닥에는 축축한 물이 고여있는 탓에 윤찬홍의 양말은 축축해졌다. 그것 뿐만아니라 기름 냄새가 코를 찌르자 윤찬홍은 미간에 주름을 지어냈다.

그 모습을 본 백희우는 기름을 옮기다 쏟았다고
변명을 늘여 놓았다. 윤찬흥은 그런가보지 하고 주위를 둘러
다 봤다.

성인 2명이 겨우 누을 법한 크기와 언제 무너져도 이상하
지 않게 금이 간 벽을 보며 윤찬흥은 마음이 착잡해졌다. 옷장
옆에는 바람이 새어들어오지 못하도록 막아 놓은 큰 돌이 하나
있었다.

장독대 위에 올라간 돌을 보며 윤찬흥은 생각했다.

- 윤찬흥 : '그러고보니 돌..내가 죽을뻔한 일들의 도구가
모두 돌이었지... 왜 굳이 돌이었을까..? 날 더 쉽게 죽일 수 있
는 방법이 있었을 텐데. 마치 어린애도 할 수 있을 법한..'

윤찬흥은 어린애란 말에 소름이 돋았다.

여태껏 그들은 중학생도 살인을 저지를 수 있다는 것을 간과한 것이다.

설마라는 마음으로 윤찬홍은 본능적으로 백희우의 얼굴을 살폈다.

윤찬홍의 닭살은 순식간에 돋아났고 오늘이 자신의 마지막 날일 거라는 생각에 심장은 평소의 두배로 뛰었다.

적막한 공기 속에서 윤찬홍은 메마른 목을 가다듬고 말을 했다.

- 윤찬홍 : 혹시.. 박희영이라고 아니? 유명 피아니스튼데 갑작스런 사고로 죽어서 말이야...

- 백희우 : 아저씨, 서론이 너무 길어요.

무거운 잡음만이 귓속에서 맴돌고 조금 뒤에 윤찬홍은 입을 뗐다. 그리고 두마디가 윤찬홍의 입에서 나왔다.

- 윤찬홍 : 너지?

윤찬홍은 당연히 "아니요" 또는 백희우의 당황스런 얼굴을 생각했다. 하지만, 정말 뜻밖의 답이 들려온다.

- 백희우 : 네, 제가 그랬어요.

백희우는 죄책감이 없었다. 30대 여성을 살인한 것으로 모자라 뻔뻔하게 네, 제가 그랬어요라니. 윤찬홍은 재빨리 이 집을 나가야 겠다고만 생각했다. 하지만, 문은 좀처럼 열리지 않았고 백희우와의 신경전만이 있을 뿐이었다.

- 윤찬홍 : 무슨 이유로?

윤찬홍은 백희우가 자신을 죽이기 전에 시간이라도 끌어보려고 두근대는 심장을 쥐여잡고 말했다.

- 백희우 : 엄마가 아파서요.

- 윤찬홍 : 고작 그딴 이유로 희영이를 죽인거냐?

- 백희우 : 고작이라뇨. 그 고작 때문에 엄마가...

백희우는 말을 하다 머뭇거렸다.

- 백희우 : 그냥 이참에 우리 엄마랑 얘기나 해요. 우리 엄마가 아저씨 많이 보고싶어 했어요.

그렇게 말하고선 백희우는 흰색 실크로 되어있는 베개를 꺼냈다. 아니, 자세히 보니 베개가 아니었다.

백희우가 ʹ그것ʹ을 꺼낼 땐 오금이 저려왔고 ʹ그것ʹ의 정체를 알게 됐을 땐 마라톤을 한 것 같이 심장이 두근거렸다.

　　ʹ그것ʹ은 백은희의 머리였다.

　　- 백희우 : 엄마, 봐. 엄마가 그토록 바라던 아저씨를 내가 데려왔어. 이제 행복해? 저 아저씨가 엄마가 죽은게 고작이래. 그 고작 때문에 우리가 어떻게 됐는데.

　　자신의 엄마의 머리를 토막내어 하는 말이 이런거라니. 윤찬홍은 웃으며 말하는 백희우가 정상이 아니라고 생각했다.

　　- 윤찬홍 : 도대체 무슨 짓을... 왜...

　　- 백희우 : 전 아무것도 안했어요.. 다 아저씨가..엄마는 아저씨를 사랑했다고요. 엄마도 아저씨가 엄마를 사랑했다고 생각했었어요. 박희영보다. 그 생각이 확신이 들 때 쯤, 아저씨가 엄

마한테 이별을 통보한거죠. 사나흘 뒤에, 폐지를 다 줍고 집으로 들어가니 엄마는 노끈으로 목을 매달고선 발버둥을 쳤어요. 의자는 이미 쓰러져 있었고요. 엄마는 온갖힘을 다해 마지막으로 제게 말했어요.

- 백은희 : ..보..지마, 컥..끄윽..가...나가..!

- 백희우 : 저는 차마 엄마를 일으킬 수 없었어요. 눈빛이 너무 간절했거든요. 그래서 저는 밖으로 나가 폐지 대신 소주병을 주웠어요. 30분 뒤, 집에 가보니 엄마의 혀는 입밖으로 길게 삐져 나왔고 목은 기린 같이 길게 늘어지고 얼굴은 마치 파란 물감으로 얼굴을 뒤덮은 듯 했어요. 저는 엄마와 한몸이 된 노끈을 잘랐어요. 장례식 낼 돈은 없고 그냥 땅에 묻으려고 했어요. 근데, 엄마를 보내기가 싫었어요. 그래서 목을..

- 윤찬홍 : 그만!!

- 백희우 : 들어요. 아저씨만큼은 끝까지 들어요. 이건 다 아저씨가 자초한 거예요. 내 삶이 고통스러운 것도 여기까지 온

것도 다 아저씨가 한거예요. 그러니까 아저씨가 책임져요.

백희우는 그렇게 말하곤 주머니 속에서 작은 라이터 하나를 꺼내들었다. 그때, 윤찬홍의 가슴이 철렁했다. 들어올 때 밟은 축축한 물과 문을 열자마자 번지는 매케한 기름냄새.

– 윤찬홍 : 그,그거 내려놔. 위험하잖아..

– 백희우 : 네, 이제 내려놓을거예요.

– 윤찬홍 : 잠깐..!!

백희우는 백은희의 볼에 입맞춤을 하곤 라이터를 떨어뜨렸다. 불은 기름을 따라 방안을 가득 매꿨고 기름이 닿지 않는 자리에 있던 윤찬홍은 살려달라며 애원했다.

그런 윤찬흥을 보던 백희우는 불이 붙은 몸을 이끌어 윤찬흥의 몸을 안았다. 타닥.타닥. 타는 소리와 함께 윤찬흥은 자신의 육신이 녹아내리는 것과 함께 눈을 감았다. 　　_THE END

제9화 < Cyclamen >

오지은

미국의 한 주택에서 남성이 죽은 채 발견되었다. 피해자의 이름은 로이슨, 36세이다. 피해자 로이슨은 죽기 전 다잉 메시지를 남겼으며, 이를 찾은 경찰들이 범인을 찾기 위해 끈질기게 수사를 한 결과 유력한 용의자 3명이 나왔다. 경찰들은 유력한 용의자 3명을 더 깊게 파고들며 조사하기 시작했다.

첫 번째 유력한 용의자는 로이슨의 옆집에 사는 줄리아라는 이름의 36세 여성이다. 경찰들은 피해자 로이슨과 무슨 사이였으며, 로이슨이 사망하게 된 날 무엇을 했냐 물어봤더니 줄리아는 이렇게 답했다.

"난 평소에 그와 친했어요. 그와 종종 시간이 되면 제 집에서 차 한 잔을 마시거나 커피를 타 먹었죠. 그렇다 보니 서로 말 못 할 비밀들도 말하게 되더군요. 물론 일주일 전에도 같이 얘기했죠. 조사에 도움이 될 거 같아 얘기하다 들은 것을 말해드리자면 요즘 자기 부인과 돈 가지고 많이 싸운다고 들었어요.

그래서 요즘 부부 사이도 안 좋다나 뭐라나. 아무튼 그가 죽은 날 전 제 아이들을 차에 태우고 유치원에 데려다주었어요. 물론 데려다주곤 전 제 친구들과 나가서 커피한잔을 마셨어요. 그게 끝이에요"

경찰들은 줄리아가 말한 내용을 다 적어 기록하였으며 다음 유력한 용의자로 넘어가 조사를 시작했다.

두 번째 유력한 용의자, 그의 이름은 스켈빈 36세 로이슨의 친구이다.
경찰은 마찬가지로 똑같이 물었다. 그러자 그는 이렇게 말했다.
" 난 그의 친구에요. 최근에 그와 돈 때문에 좀 다툼이 있었지만요. 제가 돈을 빌리고 돈을 갚지 못 해 생긴 다툼이에요. 물론 제가 잘못한 것이긴 하지만 사과를 하지 못 했어요. 그래서 사과를 하러 그의 집 안에 들어갔을 때 그는 거실바닥에 싸늘히 피를 흘린 채 죽어있었어요. 그걸 본 전 믿기지 않아 그의 몸을 계속 흔들며 그에게 일어나라고 소리쳤지만 그는 끝내 일어나지 못했죠. 전 사과도 하지 못한 채 손을 벌벌떨며 신고를 했고요. 그게 끝이에요. 다른 내용은 없어요"

경찰은 마찬가지로 똑같이 스켈빈이 말한 내용을 기록해 나가기 시작했다.

그렇게 기록을 끝내고 난 경찰들은 마지막 세 번째 유력한 용의자를 찾아가게 된다.

마지막 세 번째 유력한 용의자는 그의 부인 올리비아 32세이다.

그의 부인은 경찰이 말을 꺼내기도 전, 경찰을 보자마자 울며 말하기 시작했다.

" 전 그의 부인 올리비아에요.

최근에 남편이 친구에게 돈을 빌려주었는데 그 친구가 돈을 갚지 못해 다툼이 잦았어요. 그러다보니 저와 남편의 사이는 점점 멀어져만 갔고요. 전 서먹서먹한 분위기가 싫어서 다시 이 분위기를 없애려고 노력했지만 잘 되지 않더라고요. 그리고 요즘에 그와 다투고 나서 말을 한 적이 거의 없어요. 그냥 따로 생활하는거나 마찬가지였죠. 제가 친구들과 저녁에 술을 마시며 놀고있을 때 였어요. 전화가 왔죠. 그의 사망소식이었어요. 충격과 눈물을 머금고, 어지러운 머리를 부여잡으며 집으로 뛰어갔어요. 집에 들어가니 그의 싸늘한 몸이 보였어요. 더 슬퍼할겨를도 없이 구급차가 저희 집 앞으로 와서 그를 태워 갔어요. 진짜 이제 저 어떡하죠..?"

울고불며 말하던 그녀의 얼굴은 어느새 없어졌고 힘들어보이고 공허해 보이는 그녀의 얼굴만이 남아있었다. 힘들어 보이는 그녀를 뒤로 한 채, 경찰들은 기록들을 더 파고들며 로이슨이 남긴 다잉메시지와 함께 범인을 찾기 시작했다.

로이슨이 남긴 다잉메시지는 36∞였으며 경찰들이 열심히 해석한 결과 36은 나이를 뜻한다는 것을 알게 되었다. 그러므로 범인은 로이슨의 옆집에 살던 줄리아와 그의 친구인 스켈빈으로 추려졌다.

경찰들은 ∞를 추리하기 시작했고, 끝끝내 경찰들은 ∞ 이 것이 의미하는 것을 알아냈다. 바로 기울어진 범인의 이름의 첫 스펠링이었다.

따라서 기울어진 ∞이 기호를 똑바로 세운다면 S가 된다. 이것을 찾아낸 경찰들은 곧바로 그의 친구 스켈빈을 잡아가게 됐고, 스켈빈은 처음엔 아니라며 우겼지만 끝내 사건의 전말을 실토했다.

"처음부터 죽으려고 한 건 아니었어요.

제가 도박에 빠져서 로이슨에게 빌렸던 돈을 갚아야 할 때가 왔지만 도박에 걸었던 돈을 다 꼴아박아서 돈은 공중분해 되었고, 그러다보니 당장 또 제가 살아가기 힘든 상황에 놓여서 다시 돈을 빌리러 그의 집에 찾아가게 됐어요.

그의 집 앞에 도착하고 들어갔을 땐 제가 조심스럽게 돈을 조금만 더 빌려줄 수 있냐 물었죠. 하지만 이번엔 로이슨이 빌려주지 않았고 전 자꾸 따져들어갔어요.

그때 제가 그랬으면 안 됐어요. 제가 잘못했죠. 그는 저에게 빌렸던 돈도 갚지 않았으면서 더 이상 빌려주는 건 무리라는 식으로 말하자 조금 화가 나기 시작하더라고요. 점점 언성을 높여 저희 둘은 싸우기 시작했고, 돈 때문에 감정에 휩쓸려 버린 전 그만 돌이키지 못할 일을 저질러 버렸어요.

로이슨이 숨을 거두었을 땐 저도 아차 하더라고요.

두려움과 공포심, 불안감에 휩싸여 도망치고 말았죠. 언젠간 들킬 줄은 알았어요. 거짓말은 최소한이라도 안 들키려고 노력해서 했고요. 정말 쓰레기인 거 알아요. 다시 시간을 되돌린다면 없애고 싶어요. 이야기는 여기까지에요."

경찰들은 마지막으로 스켈빈의 말을 기록하였고, 스켈빈은 재판을 받고 나온 후, 수용소에서 며칠을 정신적 고통에 시달리게 되었다,

　결국 자신이 벌인 일에 대한 죄책감을 이기지 못한채 끝내 목을 매달아 자살을 한 것으로 알려졌다.

- end -

제10화 불타버린 진실

강지현

화창한 월요일 아침.

오늘만큼은 정말 학교에 가기가 싫었다.

안경을 집에 놔두고 온 걸 집에서 20분 거리에 있는 버스 정류장에 도착하고 나서야 기억이 났다던가, 겨우 집까지 다시 돌아가 안경을 챙겨 나오니 신발을 짝짝이로 신었다던가, 평소에는 하지 않을 실수들을 연이어 하고 나니 어느새 1시간에 한 번 오는 버스까지도 놓쳐버렸다. 지각은 확정이었다.

버스에서 내리자마자 나는 학교를 향해 미친 듯이 달리기 시작했다.

적어도 2교시에 도착하면 어찌저찌 핑계라도 대볼 수 있을 것이다. 진심으로 벌청소만큼은 피하고 싶었다. 인간은 위기에 처하면 한순간 초인적인 힘이 나오기도 한다는데 나는 그 순간이 지금인가 보다. 평소보다 빨라진 달리기에 어쩌면 2교시 시작종이 울리기도 전에 학교에 도착할 수 있을지도 모른다는 희망이 보였다.

***

그렇게 달렸건만 거의 3교시가 시작할 무렵에서야 학교에 도착했다.

이렇게까지 운이 안 좋았던 적은 없었다. 결국 선생님께 혼이 나고 말았다. 지각에, 벌청소까지 확정되어버렸다.

평소의 나에게 불운이 연이어 생겼더라면 '다음에 더 좋은 일이 생기려고 그러나 보다' 하고 긍정적으로 생각했겠지만 왜인지 오늘만큼은 그럴 수가 없었다. 예감이 안 좋았다.

그때,

"서아야!"

나의 오래된 친구 중 하나인 수연이였다.

유치원을 다닐 때부터 줄곧 친하게 지내왔던 친구라, 그때부터 지금까지 많은 시간들을 함께 울고 웃으며 보내왔기에 우리는 서로 모르는 게 거의 없다.

"무슨 생각해?"

수연이가 물었다.

표정을 보니 또 장난을 치러 온 것일 테다.

"학교가 불에 타서 사라져버렸으면 좋겠다는 생각. 그럼 등교할 필요도 없으니까 완전 좋겠다.."

나는 그에 맞춰 장난기가 담긴 표정으로 웃으며 물음에 답해주었다.

다들 한 번 즘은 이런 생각을 해보았을 것이다.

하지만 수연이는 내 말에 잠시 표정이 어두워지는 듯 하더니 곧장 다시 웃기 시작했다.

그리고는 -

"그렇긴.. 하지"

내 말에 잠시 공감한 후 다른 이야기를 꺼내기 시작했다.

잠시 굳었던 수연이의 표정은 기분 탓일 것이다. 그렇게 정정하기로 했다.

대화의 주제는 빠르게 바뀌어 갔다.

***

"해원아, 너 혹시 이 문제 어떻게 푸는 지 알아? "

공부를 잘 하는 친구가 있다는 건 좋은 일이다.

해원이는 초등학교 때부터 친했던 친구라 수연이만큼은 아니지만 굉장히 친한 친구다.

어떤 일이든 몇 번의 실행을 거쳐가며 항상 침착하고 완벽하게 해내려고 하고,

실제로도 거의 대부분의 일을 완벽하게 해내는 편이었기에 막히는 일이 있다면 해원이에게 많이 의지하는 편이다.

" 아, 이거.. 잠시만."

해원은 자신이 무슨 일이든 완벽하게 해낼 때까지 연습하는 주의라고 했다. 그저 스스로 노력하는 게 다라고 했지만 초등학교때부터 뭐든지 열심히 하던 모습을 보면 정말 대단하다라는 생각이 든다. 해원이는 나에게 여러모로 든든한 친구였다.

지잉 -

내 폰이었다. 잠시 확인해보니 수연이가 보낸 문자였다.
나는 별 거 아니겠지 싶어 울리는 진동을 무시했다.

"어.. 이 문제 아까 전에 수연이도 물어봤던 건데. 혹시, 수연이 어디갔는 지 알아?"

그러고 보니 언제부터인가 수연이가 안 보이기 시작했다.
이유 모를 불안감이 엄습하기 시작했다.

"아니, 모르겠어. 화장실 간 거 아냐?"

내 말에 해원이가 입을 여는 순간,

위이이이이잉 - !!

사이렌 소리가 울리기 시작했다.

"뭐야, 오늘 소방훈련 있었어?"

반 아이들이 웅성거렸다.

내 기억으로는 오늘 소방 훈련을 한다는 말은 없었다.
그럼, 설마 진짜로 불이 난 건가?

"야, 우리 나가야 하는 거 아니야..?"

"에이, 설마. 그냥 잘못 울린 거겠지."

"그러다 진짜 불난거면 어떡해.."

"일단, 화재 방송이 나올 때까지 기다려보자."

시간이 지날 수록 반 아이들의 불안감은 커져만 갔다.
어디에선가 타는 냄새가 나는 것만 같았다.

***

5분이 지났다. 화재 방송은 커녕 선생님도 오시지 않으셨지만 점점 더워지는 공기와 강하게 나는 타는 냄새가 불이 났다는 걸 증명이라도 해주는 듯했다.

그제서야 반 아이들은 밖으로 뛰쳐나가기 시작했다.

하지만 불은 이미 번질대로 번졌고 반 아이들은 혼란에 빠졌다.

그리고 혼란에 빠진 것은 나도 마찬가지였다.

항상 드라마나 뉴스로만 봤지 이렇게 큰 불을 직접 보는 것은 처음이었기 때문이다.

옆을 보니 해원이의 표정이 조금 일그러져있었다. 항상 침착할 것 같았던 해원이가 손까지 떨어가며 무서워하는 모습을 보니 마음이 더 불안해져 갔다.

"꺄아아악!"

수연이었다.

어딜 갔다 온 것인지 교복이 축축해져있었다.

다리를 절뚝거리는 것을 보니 다리를 다친 것 같다.

언뜻 보니 피가 나는 것 같기도 하다.

"수연아! 어디 갔다 왔어?"

나는 수연이의 팔을 꽉 붙들어잡으며 물었다.
수연도 내 팔을 꽉 붙들어잡았다.

"나, 나.. 화장실"

수연이도 이 상황이 무서운 것인지 눈동자에 눈물이 고여있었
다.
내 교복이 다 구겨질 정도로 꽉 잡는 수연에 나도 눈물이 핑
도는 것 같았다. 이 상황에서 어서 벗어나고 싶었다.

"일단, 여기서 나가자!"

해원이가 소리치기 시작했다.

"얘들아! 저쪽 계단으로 줄서서 내려가!"

그 말에 아이들은 급히 계단 쪽으로 달려갔다.
나도 절뚝거리는 수연이를 데리고 아이들을 따라 달려갔다.

그러던 도중,
누군가와 부딪히며 주저앉아버렸다.

"미안!"

안경이 떨어졌다.
나는 수연이를 신경 쓸 겨를도 없이 안경을 찾기 시작했다.

"어디 있지.."

손으로 대충 짚어보아도 안경은 만져지지 않았다.

최악의 상황이었다. 만약, 여기서 눈까지 안보인다면 더 최악의 상황이 될 것이 뻔했다.

불길은 빠르게 번져오고 있었다.

"뭐해..! 빨리 와!"

해원이 내 팔을 붙잡고 끌고 가기 시작했다.

불 때문인지 매연 가스로 인해 앞이 안 보였다.

안경을 안 써 이미 앞이 안 보이는 상황에 내가 믿을 것은 해원이뿐이었다.

해원이의 팔에 의지하여 계단을 내려가던 도중 뒤에서 큰 소리가 났다.

"뭐야..? 무슨 소리야?"

필시 건물이 무너지고 있음이 틀림없었다.
밀려오는 두려움에 나는 곧장 해원이에게 물었다.

"아무것도 아니야."

차갑다 못해 냉정하게 느껴지는 목소리였지만 조금은 떨리는
것도 같았다.
해원의 표정은 역시나 보이지 않는다.
해원이 답해주지 않자 수연이에게 물었다.

"수연아, 방금 무슨 소리야?"

그러자, 돌아오는 답은 없었다.

"해원아, 수연이 먼저 갔어?"

수연이가 걱정되는 마음에 해원이에게 물어봤다.

"...응. 아까 네가 넘어졌을 때 불 때문에 뜨거웠는지 바로 달려가더라고."

해원이 한 박자 느리게 답했다.
나는 그 말에 갑작스레 의구심이 들었다.

...달려갔다고?

그럴 리가 없다.
아까 전만 해도 겁에 질린 상태로 다리까지 다쳐 절뚝거리며 다니던 수연이의 모습이 생생한데...

뭐... 절뚝거리면서라도 먼저 갔겠지.

일단, 여기서 탈출하고 보자.

***

우리는 생각보다도 더 빨리 탈출했다.

이번에는 나름 운이 좋았던 것일까.

운동장에는 대피해있던 선생님들과 불을 끄고 있는 소방관분들이 다였다.

나보다 먼저 달려나간 친구들은 아직 탈출을 못 한 것인지 보이지 않았다. 나는 수연이를 찾기 시작했다.

"해원아, 선생님들이 뭐라셔?"

"몰라.. 우리가 가장 먼저 나온 거라는데?"

"뭐?"

가슴이 철렁 내려앉는 것 같았다.

역시 다친 다리로 인해 불타는 학교에서 빠져나오지 못한 것이 틀림없었다. 머리가 새하얘졌다.

"다친 곳은 괜찮아? 일단 기다려봐, 내가 다시 물어봐볼게."

해원이 다시 달려가기 시작했다.
스스로도 많이 당황스럽고 무서웠을텐데 나를 먼저 챙겨주는 모습에 미안한 마음과 고마운 마음이 복합적으로 들었다.

"갑자기 불이 난 이유가 뭐죠?"

뒤에서 선생님이 소방관분들과 대화하는 소리가 들려왔다.

"글쎄요.. 아직은 잘..."

그때, 소방관 두 분께서 급하게 달려왔다.

"이거, 학교 뒤뜰에서 발견한 건데.."

"라이터와 휘발유입니다."

.....뭐?

나는 서둘러 소방관분들께 다가갔다.

정말이었다. 모양을 알아보지 못할 만큼 타버린 라이터와 빈 휘발유 통이 적나라하게 소방관분들의 손에 들려있었다.

"처음 발견했을 때의 사진입니다. "

잠깐..

"어..."

이거.. 어딘가 익숙하다.
L..EE.. SO..O... YEON...

"이.. 수연?"

"그게, 무슨 소리야?"

어느 새 내 뒤엔 해원이가 소름 돋는 표정을 하며 가만히 서 있었다. 무언가 굉장히 희열감이 넘쳐보이는 표정이었다.

그리고는 -

"수연이라니?"

이내 다시 표정을 지우며 곧바로 울어버릴 것처럼 나에게 물었다.

"아, 아니야. 그나저나 수연이는? 선생님이 뭐라하셨어?"

"...아...... 있잖아, 서아야. 그게.."

***

- 수연이 시점 -

나에겐 유치원을 다닐 때부터 친구였던 서아가 있다.
서아는 성격이 좋아서 어딜가든 새로운 친구를 사귀고 온다.
그리고 이번에 새로 사귄 친구는 '해원'이라는 친구였다.

내가 보기에 해원이는 또래에 비해 굉장히 똑똑하고 성숙해보
였다.

게다가 똑똑하다고해서 자랑하는 것도 없었고 오히려 착하기까지 해서

처음에는 해원이와 서아, 그리고, 나. 이렇게 셋이서 오래 친하게 지낼 수 있을 줄 알았다.

그러던 어느 날, 아파트 앞 놀이터에서 해원이를 만났다.

반갑게 인사하려던 그 때, 고양이 울음소리가 들렸다.

고양이가 고통스러워하는 것 같아 자세히 보니 해원이의 손이 이상한 곳에 가있었다.

고양이를 쓰다듬는 줄로만 알았던 해원이의 손이 고양이의 목을 조르고 있었다.

평소 동물을 좋아한다던 모습은 어디에도 보이지 않고 그저 고양이가 괴로워 하는 소리에 즐거워하며 한 없이 고양이의 목을 움켜진 손에 힘을 주는 그 모습에 나는 소리를 지르며 주저앉을 뻔했다.

서아는 해원이가 이런 애인줄 모르고 있다.

어서 알려야 했다. 나는 해원이를 말릴 생각도 없이 그 자리에서 도망쳐버렸다.

다음 날, 학교

내 책상 위에 포스트잇이 붙여져 있었다.
'너, 봤지' 라는 문구가 적힌 조그마한 포스트잇일뿐이었다.

그 짧은 문구가 뭐라고 그렇게 무섭던지, 서아에게는 말할 엄두도 못내고 학교를 마치자 마자 다시 놀이터로 향했다.

늘 그랬듯 햇빛이 들어오지 않는 구석진 곳.
해원이가 어제 고양이를 죽이려 든 곳이다. 고통스러워하던 고양이의 모습이 잊히지 않는다.

그리고 방금,

"아..."

해원이가 고양이를 죽인 곳이 되었다. 가까이서 보니 생각보다도 더 작은 고양이었다.

차갑게 식어 움직이지 않는 고양이의 모습에 점점 더 해원이가 무서워지기 시작했다.

나는 곧장 땅을 파며 고양이를 묻기 시작했다. 그저 해원이의 타깃이 사람으로 변하지 않기를 바라며.

***

몇년이 지났다.

해원이는 여전히 아무 일도 없었다는 듯 서아에게 말을 걸며 장난을 쳤다.

활짝 웃는 모습이 여느 평범한 고등학생과 다를 바 없었지만 자그마한 생명체 앞에서는 한없이 악마가 되어버리는 이중적인 모습을 가진 해원이었다.

그런 해원이의 모습을 아는 사람이 세상에 나 하나 뿐이라는 사실이 무엇보다도 가장 괴로웠다. 학교에서도, 밖에서도 주변 사람들은 모두 해원이가 착하고 예의 바른 모범생인 줄로만 알고 있다. 심지어 누구보다도 나를 믿고 지지해줘야 했을 부모님 조차도 내 말을 믿지 않았다. 작은 곤충들부터 시작해서 크게는

개, 고양이까지. 지금까지 사람을 죽인 적은 없었다는 사실에
안심해야 하는 것일까.

'너, 나 따라와.'

신나게 조잘거리는 서아를 옆에 두고, 해원이 나에게 입모양
으로 말했다.

갑작스레 가슴이 꽉 막힌 것 같이 숨이 쉬이지 않는다. 해원
이는 조그만 커터칼에도 공포에 떠는 내가 재미있는 지 항상 커
터칼을 들고 다니며 주로 학교 뒤뜰에 나를 데려가 협박하려 하
곤 했다.

"..무슨 일이야?"

"수연아, 넌 내 친구니까 부탁 좀 들어줘라."

"뭐..?"

"이 라이터 너가 가지고 있어. 그리고, 내가 부탁할 때 그냥

학교에 불 좀 붙여줘."

어디서 난 것인지 해원의 손에는 LEE SOO YEON,
내 이름이 적나라하게 적혀있는 라이터가 있었다.
나는 그 말에 주춤거리며 뒷걸음질을 치기 시작했다.

"그게 무슨 소리야? 불 좀 붙여달라니.."

'더 이상 엮이면 안된다' 라는 느낌이 강하게 들어 도망치려던
순간,
해원이 강하게 내 팔을 붙잡았다.

"어디가? 아직 말 다 안했어. 내가 휘발유까지 준비해 놨거
든?"

"뭐라고? 너 미쳤어?!"

아, 중간에 삑사리가 났다. 굉장히 긴장되고 두려웠음에 일어
난 일이었다.

"어느 타이밍이든 괜찮으니까 불질러. 알겠지? 죽기 싫으면. "

해원이는 내 말을 비웃으며 칼을 꺼내 들기 시작했다. 그저

문구점에서 흔히 볼 수 있는 1000원 짜리 칼이었다. 그럼에도 식은땀이 나기 시작했다. 해원이는 생각을 행동으로 바로 옮길 수 있는 실행력이 있기 때문에.

"...알았어."

***

- 화재 발생 당일 -

아무도 없는 화장실, 홧김에 서아에게 문자를 했다.
'마지막이다'라는 생각으로 문자 내용에 자초지종을 모두 담았다.

해원이 1시간 전 내게 보냈던 문자가 눈에 띄었다,
'10분 뒤에 바로 시작해. 내가 계획이 있거든.'
나는 이미 해원이와의 약속을 어겼다.

그래도, 살 수 있을 것이다.
해원이는 지금껏 살인 같은 건 한번도 해보지 않았으니.

＊＊＊

　라이터의 불과 휘발유가 만나자 바로 큰 불이 치솟기 시작했다.

　깜짝 놀라 실수로 휘발유를 옷에 흘려버렸다. 온 몸에 휘발유 냄새가 나는 것만 같았다.

　일을 저지르고 나니 왈칵 눈물이 솟구치려 했다.

　화장실을 서둘러 달려 나오니 해원이와 함께 있는 서아가 보였다.

　내 문자를 읽지 않은 것일까. 아님 나를 믿지 못하는 것일까.

　나는 서아의 팔을 꽉 붙들어 잡으며 어서 서아가 나와 함께 탈출하길 바랐다.

　하지만,

　타는 냄새 사이, 무언가 갈라지는 소리가 들렸다.

　해원은 불길이 강하게 휩쓸고 있음에도 장시간 동안 나를 관찰하듯 빤히 보더니

　안경을 찾고 있는 서아를 앞에 두곤 당당히 날 향해 웃으며 또 다시 입 모양으로 말하기 시작했다.

'모르는 것 같아서 말해. 나 사실.. 살인도 해봤다?'

그 말을 끝으로 건물이 무너져 내리기 시작했다.

큰 소리가 나더니 몸이 무거워졌다. 해원이는 불길 사이에서 아무것도 하지 못하는 나를 눈으로 흘긴 후 서둘러 서아를 데리고 출구로 뛰어가버렸다.

이제 이해했다. 해원이는 분명 내가 넘어져 건물에 깔리기까지의 상황을 생각해보고 있었던 것이었다.

계획이 잘 실행되고 있는 지 확인하듯. 자신이 계획한 일이 잘 되지 않을까 불안할 때면 떨던 손도 이젠 떨지 않았지.

몸에 불이 옮겨 붙기 시작했다. 그제서야 참았던 눈물을 마음껏 쏟아 보냈다.

점점 의식도 고통도 사라져만 갔다.

***

수연이는 죽었다. 무너진 학교 건물 4층에서.

놀랍게도 학교 건물은 4층 이외엔 그 어느 곳도 무너져 내리지 않았다. 이유는 밝혀지지 않았다. 범인 또한 밝혀지지 않았고, 수연이에게 왔던 문자는 지워져있었다. 누군가 내 폰에 손

을 댔음이 분명했다. 이 일은 끝끝내 수연이가 스스로 학교에
불을 질러 자살했다고 마무리 되었다.

갑작스런 화재로 인한 수연이의 죽음에 수연이의 죽음에 나는
며칠 동안 충격과 죄책감에서 벗어나오지 못했다. 내가 솟구치
는 불길 속에서 넘어진 그 때, 어떻게든 수연이를 꼭 붙잡고 놓
지 않았더라면 결과가 달라지지 않았을까.
　나날이 우울해져만 가는 나를 위해 해원이는 항상 나에게 찾
아와 나를 다독여주었다.
　해원이라도 남아있어서 참 다행이었다.

제11화 멍울

이한솔

내게 멍울이 생겨난 것은 아주 어렸을 적이었소. 몸이 약한 아우를 신경 쓰느라 저에게는 오지 못한 모정에 애타는 맘이 조금씩 아주 조금씩 고개를 내밀었고 그것이 어느새 크게 덩어리져 목 안을 가득 매운 것이오.

그 멍울은 언제나 나를 곤란하게 하였고, 이제는 그것이 내 목소리마저 앗아간 것이오. 딱히 그것을 미워하지는 아니하였소. 이미 그 녀석은 나와 하나였고 나의 생각을 말할 뿐인 하나의 기관으로서 일을 하는 애석한 운명이니 말이오.

하나 그것이 내게 관섭하는 일이 많아졌고 어느 순간부터는 스스로 말하는 방법을 잊어버려 그 멍울에게 의존하는 아이러니

한 상황이 벌어진 거요. 생각을 거침없이 말하는 고것 탓에 마을 내에서 나의 평판은 개보다 못할 지경이었소. 한번은 시장통에 나가니 물건을 파는 장사꾼도 물건을 사는 아지메들도 일제히 멈춰 서고는 두 눈을 괭이 마냥 치켜뜨고선 저를 흉보며 수군덕거리기 일쑤였소. 간간이 들리는 말로는

"저 자가 그 양 씨네 장남이요?"
"맞아요-, 글쎄 요번에 제 아우가 물건에 손 한번 됐다고 듣기 민망할 정도로 욕지거리를 내뱉었다니깐요?"
"필시 차남이 재산을 물려 봤으니, 괜한 꼬투리를 잡는 것일 테요-"
"하는 짓만 보면 망나니가 따로 없구려, 그래!"

이러한 시답잖은 이야기나 하고 있으니 말이오.
그중 신경을 긁는 이야기를 몇 가지 꼽으라 말한다면 필시 '둘째 도련님'과 '양 씨네 재산'에 관한 이야기였소. 아버지께서 장남인 저가 아닌 차남에게 재산을 물려준다는 이야기는 내게 있어 마른하늘에 벼락 맞는 일이나 다름없었소.

시장 바닥 소문은 믿을게 안되네만 혹여나 하는 맘에 아버지를 찾아간 날이요, 아버지와의 독대에서 내가 원하던 답을 들을 수는 있었소. 아버지는 진심으로 그 애에게 재산을 물려주고자 하였고 나는 그에 속상하여 열변을 토해냈소. 어떤 자신감이 붙

었는지는 몰라도 그날은 저가 그토록 두려워했던 아버지에게 처음으로 대들기도 하였소. 하나 어느 순간부터 시작된 사소한 다툼이 시간이 지날수록 거칠어졌고 아버지께서 여느 때처럼 손을 들자 손찌검이 두려워 피하고자 아버지를 밀쳤소. 그 결과는 참혹하기 그지없었네 큰 소리와 함께 아버지께서 계단으로 굴러떨어졌고 널브러진 아버지의 머리에서는 시뻘건 피가 하염없이 흐르고 있었소. 근처에서는 큰 소리에 깬 이들의 웅성임이 들려왔고 지레 겁먹은 난 황급히 자리를 뛰쳐나갔소.

　그날 밤, 아버지를 살해했다는 죄책감과 누군가 저를 보았을지도 모른다는 공포 그리고 추하게도 재산을 물려받을 수 있다는 사실에 벅차오르는 기쁨을 주체하지 못하여 잠들지 못한 날이었소.

　다음날 아버지의 부고를 알리는 편지가 왔고 편지에는 밤눈이 어두운 아버지께서 발을 헛디뎌 근처 계단에서 굴러떨어져 사망하셨다는 이야기가 적혀있었소. 아버지의 장례를 치르러 본가에 가는 길은 이전과는 달리 조용하고 어색하였소. 본가에 들어섰음에도 불구하고 그 누구도 저를 꾸짖거나 멱살을 잡지 아니하였소. 그 침묵은 자신의 범죄행각을 그 누구도 모른다는 뜻이기 했소, 그제야 딱딱히 굳어있던 몸이 풀리고 안도감에 눈물이 쏟아졌소.

　며칠간의 장례 끝에 집으로 돌아오자 자신이-비록 실수였을지라도- 아버지를 살해했다는 것이 비통하였으며 들키지 아니했다는 사실에 안도와 옅은 희열이 몸을 뜨겁게 달구었소.

　하나 어째서인지 아버지의 죽음 이후로 멍울이 더욱 커져 나
갔고 나는 이내 목이 막히는 듯한 고통을 겪게 되었소. 여전히
나의 목소리는 나오지 아니하였고 멍울 또한 제 몸집을 부풀리
기 바빠 어떠한 말 한마디 하지 아니했소. 며칠을 그리 보냈을
까 목을 막는 듯한 고통은 더욱　세졌고 이내 나는 그 멍울을
빼내어야 한다는 생각에 비수를 목이 꽂아 넣었소. 아! 그제야
목 안에서 무엇인가 나오는 듯한 쾌감이 전신을 관통하였소. 고
것을 확인하고자 흐릿한 눈으로 바닥을 훑어보았지만 목에서 나
오는 것은 시뻘건 피뿐이었고 그 외의 덩어리는 보이지가 아니
하였소. 힘이 풀려 아무렇게나 널브러진 전신은 귀만을 연 체
멀리서 들려오는 아무개 소리만 쫓고 있을 뿐이오. 이내 그 소
리마저도 멀어져 갔고 조용히 하지만 착실히 내 몸은 죽음을 받
아들였소.

제12화 지켜준다는 것

김남주

　나는 유서훈과 사이가 좋지 않다. 마치 덩굴 나무처럼. 우리의
사이는 좋지 않지만 결국 얽히게 되어있었다.

　나는 서울에서 태어나 서울에서 자랐다. 내가 다니는 '하루
고등학교'는 지어진지 얼마 안 된 명문 고등학교이다.

　우리 학교에 다니는 아이들은 대부분 공부를 열심히 해서,
중학교 때 전교 3등 밖을 벗어나 보지 못한 나도 친구들을 따
라가기 어려울 정도였다. 내가 공부를 따라가기 어려운 데에는
이유가 한 가지 있다. 여기 애들이 공부를 아주 잘하는 것도 이
유 중 하나겠지만, 부모님의 이혼 때문이다.

우리 부모님은 내가 중학교 3학년 때 이혼하셨다. 아직 철이 덜든 중3 아이들은 나를 아빠 없는 아이라고 놀렸고, 나는 그 많은 수모를 당하면서도 엄마 때문에 항상 전교권을 유지해야만 했다. 엄마는 항상 나에게, '그 정도 놀림은 참고 공부해야지. 엄마가 너한테 쏟아부은 돈이 얼만데.'라고 말씀하셨다. 나는 기가 찼다. 내가 얼마나 힘든지도 모르고, 매일매일이 괴로웠는데. 지금 생각해 보면 그때 그렇게 스트레스를 받으면서도 공부를 한 내가 새삼 대단하게 느껴졌다. 그 트라 우마 때문인지, 나는 고등학교에 와서 1년 동안은 아무것도 안하고 놀았다. 물론 아무것도 안 한다고 마음이 편한 것은 아니었다.

항상 엄마의 따가운 눈총을 받으며 살아야 했다. 그래도 공부하는 것보단 나았다. 하지만, 이제 곧 고3이니 마음을 다잡고 공부를 해야 만했다.

그 때문에 지금은 2년 치 교육 과정을 한꺼번에 나가고 있다. 성적은 조금 올라갔지만 여전히 낮았고, 엄마는 아직 만족을 못 하신다.

유서훈은 나와 같은 중학교를 다녔다. 그 아이는 중학교 때도 질이 좋지 않은 아이였고, 나를 항상 아빠 없는 아이라고 놀렸다. 같은 고등학교에 배정받고 나는 정말 살기 싫어졌다. 중학교 때 그렇게 당했는데, 또 같은 고등학교라니, 정말 말도 안 된다. 난 운도 참 없다. 왜 하필 그런 아이랑.. 설상가상으로 그 애랑 고등학교 2학년인 올해, 같은 반이 되어버렸다. 정말 꿈만 같았다. 아니, 차라리 꿈이었으면 나았을 거 같다. 그땐 그 애랑 같은 반이 된 게 너무 싫었고, 그 애를 증오했다. 앞으로 어떤 일이 벌어질지 모른 채..

고2가 시작되고 몇 달 뒤인 5월, 우리 학교에 사건이 하나 벌어졌다. 나와 같은 반인 유서훈이 죽었다는 것이다. 처음에는 친구들이 놀라 했고, 슬퍼했다가 수긍했다. 살짝 기뻐하는 아이들도 있었다. 그도 그럴 것이, 유서훈은 질이 안 좋은 아이. 즉, 우리가 소위 말하는 일진이다. 유서훈과 친했던 일진 들은 자신들의 무리에 속한 아이가 죽으니 한동안 잠잠했고, 나 같이 유서훈에게 괴롭힘을 당한 아이들은 그렇게 슬퍼하지 않았고 오히려 잘 됐다 싶었다.

사건 전날인 야자 시간이었다. 나는 친구 은수와 함께 화장실을 간다 하고 몰래 학교를 빠져나왔다. 어두워서 학교를 빠져나오는 건 쉬웠다. 경비 아저씨가 없는 곳으로 가서, 담을 넘어 학교를 나와 편의점에 갔다. 학교와 그리 멀진 않았다. 우리는 에너지 음료를 사서 하나씩 마셨다. 야자를 빠지고 나온 것 치곤 꽤 건전한 시간을 보냈다.

담임 선생님이 우리를 찾으러 전화를 할 거라고 생각했는데, 전화는 커녕 문자 한 통도 없었다. 아마 우리 평소에 공부를 안 해서 그냥 포기하신 것 같았다. 그렇게 은수와 처음이자 마지막으로 학교 밖에서 놀고, 나는 바로 집으로 갔고, 은수는 혹시나 야자를 빠진 걸 들켰을까봐 학교 주변을 살피다 집에 갔다. 집에 가니 엄마는 누군가와 통화를 하고 계셨다. 다행히 내가 야자를 빠진 걸 아는 눈치는 아니었다. 엄마는 나에게 오늘도 공부하느라 고생했다며 고기를 구워주셨다.

　그렇게 야자를 빠진 다음날, 해가 뜨기도 전인 아침 일찍 학교에 유서훈의 부모님이 찾아왔다. 자신의 아들이 실종됐다고 소리치면서. 담임 선생님은 어제 야자 시간에 유서훈이 있었다고, 야자를 마치고 집으로 가는 길에 실종됐을 거라 말했다. 의외로 담임 선생님은 차분했다. 유서훈의 엄마는 경찰에 연락도 해보고 연락 할 수 있는 데까진 다 해봤다고, 아무리 찾아도 안 보이고 어디로 간지 조차 가늠이 안된다고 허탈하게 말했다. 경찰들은 학교에도 찾아와 유서훈의 친한 친구들을 조사하고, 학교 곳곳을 살펴보았다. 하지만 유서훈은 도저히 보이지 않았다. 선생님들은 그제서야 상황을 심각성을 깨달았다. 모두가 힘을 합해 유서훈을 찾고 있던 그때, 학교 외진 곳 구석에서 누워있는 유서훈을 발견했다. 경찰들은 급히 담임 선생님과 유서훈의 부모님을 불렀고, 유서훈의 엄마는 자신의 아들이 죽었다는 걸 알자, 얼굴을 심하게 일그러뜨리고는, 울부짖었다.

　도대체 누가 그랬을까. 유서훈의 엄마는 자신의 아들을 죽인 사람을 찾으면 가만두지 않을 거라며 몇시간 동안 그 자리를 떠나지 않으며 흐느꼈다.

　유서훈이 누워있던 자리 근처에는 마땅한 CCTV도 없었고, 그 날은 밤이어서 목격자도 많이 없을 거라고 생각했다.도저히 범인을 찾을 수 없자, 그날부터 우리 학교 홈페이지에 그날 밤 일을 목격한 사람의 의견을 들을 수 있는 새로운 창이 생겼다.

경찰은 학교 홈페이지에 가지각색의 목격 진술이 올라올 거라는 걸 알고 있었다. 그래도 조금이라도 도움이 되는 게 있으리라는 일말의 희망을 가지고 홈페이지를 개설했다. 역시나 예상대로 거짓 진술이나 장난 식으로 올라온 글들이 대부분이었다.

경찰들이 낙심하고 있던 그때, 경찰 중 한명이 말했다.

"여러 진술 중 조금 비슷해 보이는 내용들을 추려보았더니, 한 사람이 여러 글을 쓴 것 같습니다. 내용들이 다르면서도 다 일관 되어있어요." 그 말을 들은 우리는 곧바로 메일로 보내진 파일을 확인했다. 진짜였다. 얼핏 보면 다른 사람이 작성한 것 같아 보이지만, 그 내용을 잘 분석해보면 이건 모두 분명히 한 사람이 쓴 글들이라는 것을 알 수 있었다.

그 글들을 추려본 결과, 사건 당일 학교 뒤편에서 사람 소리가 났고, 학교 담 너머에서 봤을 때 사람의 실루엣이 보였다는 내용 등 사건에 도움이 될만한 이야기들이 많이 담겨있었다. 우리는 혹시 이 글을 쓴 사람이 범인은 아닐까라는 추측을 했다. 범인이나 공범이 아닌 이상 이렇게 자세하게, 모두 같은 내용이면서도 다른 측면에서 진술할 순 없다고 생각했기 때문이다. 경찰들은 범인을 하루 빨리 잡겠다고 유서훈의 부모님에게 말했고, 모두가 같은 마음으로 일이 빨리 해결되길 바라고 있었다. 단 한 명을 제외하고.

사건의 전말

사건 당일 밤, 길하성의 엄마는 전화 한통을 받았다. 담임 선생님이었다. 학교에 있는 아들에게 무슨 일이 생겼는지 걱정되어 얼른 전화를 받았다. 담임 선생님은 놀란 목소리로 말했다. "지금 하성이가 또 사고를 친 것 같아요. 야자 시간에 없어져서 찾고 있었는데.. 하성이가.. 사람을 죽인 거 같아요"

"...네?" 하성의 엄마는 하성이 아픈 걸 알고 있었다. 하성은 해리성 정체성 장애를 앓고 있었다. 평소 자신을 괴롭히는 무리라 생각했던 유서훈이 사실은 오히려 하성이를 챙겨주었고, 하성이는 그런 유서훈을 옛날에 자신을 괴롭힌 아이라고 착각하여 유서훈을 정말 경멸 어린 표정으로 바라보곤 했었다. 그럴 때마다 하성의 엄마는 유서훈은 너를 도와주는 거라고, 너를 괴롭힌 아이들은 지금 여기 없다고 말해주었지만, 하성은 믿지 않았다. 아니, 하성이는 생각할 여건이 안됐다. 엄마는 그래도 별 다른 일이 벌어지고 있지 않으니 그냥 내버려뒀는데, 이렇게 사고를 벌일 줄은 상상도 못했다.

이 사건이 학교에 소문 나게 된다면, 하성은 물론 자신까지 손가락질 받을 게 뻔했다. 하성의 엄마는 자신과 아들을 지키고 싶어했다. 그래서 담임 선생님과 말을 맞추고, 약속을 했다. 절대로 범인을 말하지 않겠다고. 그리고 그에 따른 보상은 담임 선생님을 만족 시킬만한 돈이었다.

사건이 일어나고 3일 뒤, 하성의 엄마와 하성이, 그리고 하성의 범죄를 숨겨준 담임 선생님은 교장 선생님 앞으로 불려나갔다. "어차피 밝혀질 사건이었어요! 밝혀져야만 했고요. 그렇게까지 숨겨준 이유가 뭡니까? 도대체 무슨 생각으로 선생이란 사람이.. 하..." 상기된 교장 선생님의 목소리가 들려왔다. 교장실에는 유서훈의 부모님이 앉아있었다. 유서훈의 부모님은 마치 며칠 못 먹고 못 잔 사람처럼 피폐해졌다. 하지만 하성의 엄마는 죄책감을 느끼지 못했다. 그저 자신과 자신의 아들을 지키기에 급급했다.

길하성의 엄마는 교장실 의자에 앉자마자 말했다.

"우리 하성이는 해리성 정체성 장애를 가지고 있어요. 저와 남편의 이혼 때문에 충격을 받아 아프게 되었지요. 서훈이가 하성이를 괴롭힌 적은 없지만 하성이는 과거 다른 친구들이 놀린 일 때문에 서훈이가 자신을 괴롭혔다고 생각하고 있었어요. 정말.. 우리 하성이가 일부러 그러진 않았을 거에요. 무슨 이유가 있었을 거라고요. 그러니 한 번 만 이해해주세요. 우리 애가 정말 그럴 애가 아닌데.."

하성의 엄마는 아이를 잃은 부모 앞에선 해서는 안될 말을 하고 있었다. 가식적인 사과 한마디조차 하지 않다니. 유서훈의 부모님은 기가 찼다. 너무 어이가 없어 말을 잇지 못하는 서훈의 엄마를 대신해 서훈의 아빠가 말했다. "저희 아이가 죽었습니다. 그 쪽 아이 때문에요. 그 쪽 아이가 아프던 안 아프던 사람을 죽였는데 어떻게 그리 당당하실 수가 있나요? 적어도, 진심이 아니더라도, 미안하다는 사과 한마디 정도는 해야 하는 것 아닌가요? 그쪽 아이가 아프다는 말을 들었을 때 그래도 저희는 조금이나마 이해하려고 노력했습니다. 그런데 이렇게 나오신다면 저희는 정말.. 할 말이 없네요. 법대로 처리하겠습니다." 하성의 엄마는 아직까지도 자신이 뭘 잘못 한지 몰랐다. 자신은 그저 아픈 아들을 지켜주려고 했다. 내가 낳은 아이, 내가 아니면 누가 알아주겠냐고.

엄마가 학교에서 난리를 치고 있는 사이, 하성이는 집에 홀로 남겨져 있었다. 하성이는 자신이 누군가를 죽였다는 사실을 인지하지 못했고, 자신의 엄마가 어디갔는지도 몰랐으며, 자신이 왜 학교에 가지 않고 집에 있는지 조차 몰랐다. 하성이는 어릴 때 일어난 부모님의 이혼 소송과 며칠 전 일인 살인 사건을 인지하지 못했고, 기억도 못하고 있지만 그에 따른 충격을 크게 받아 괴로워하고 있었다.

"나는 누구지?" 하성이가 사건 이후 처음으로 내뱉은 말이었다.

제13화 오늘도 내 인생은

한가원

　오늘도 내 하루는 답이 없는 수학 문제 같다. 정말 답이 있는 건지 모르겠고 맞는 것 같다가도 어김없이 오답이다. 아직 겨우 26살 먹었다지만 앞으로 남은 몇 십 년을 이렇게 계속 살아야 한다면 차라리 살지 않는 게 좋지 않을까? 아님 몇 년만 더 참으면 내 인생도 답을 찾을 수 있을까? 긍정적으로 살아야겠다고 다짐하면서도 또다시 내 인생을 한탄하고 있는 일상의 반복이다. 이런 생각 집어치우고 빨리 나갈 준비를 해야 한다. 늘 그렇듯 카페에 도착해 영업 준비를 한다.

　"주문하시겠어요?"

　아직 이른 시각임에도 불구하고 손님이 줄어들지 않는다. 나는 카페로 들어오고 나가는 손님들을 보며 저들도 나와 똑같이 힘든 면이 있을 거라고, 나만 힘든 게 아닐 거라며 나를 가스라이팅 한다. 그렇게 의미 없는 하루를 보내고 나면 또 어느새 하늘은 어두컴컴하다. 저녁이 되고 다시 집으로 돌아오면 다시 공허한 집만이 나를 반겨준다. 내 책상 위 달력에는 빨간색 동그라미가 그어진 날짜가 있다. 바로 오늘이다.

오늘은 아빠 기일이라서 그런지 평소보다 유독 아빠가 보고 싶었다. 나는 기분전환도 할 겸 밤 산책을 나가기로 했다. 산책길에 나와 휴대전화를 켜 오래전 아빠의 사진을 보았다. 아빠는 내가 아주 어릴 때 돌아가셨다. 그게 다행인 건지 불행인 건지 이제 아빠 기일에도 하루 종일 아빠 생각에 잠겨 있을 정도로 큰 슬픔을 느끼지는 않는다. 그런 나였는 데 오늘 밤은 이상하게 아빠가 보고 싶은 밤이다. 아빠가 보고 싶은 날. 공원 벤치에 앉아 멍을 때리던 나는 아빠를 볼 수 있는 방법을 찾았다.

나는 그 상태로 공원 앞의 강으로 들어가 뛰어내렸다. 내 몸은 물속으로 점점 가라앉고 숨이 조여왔다. 그 후 숨을 쉬지 못하는 고통에 몸부림치다 정신을 잃었다. 나는 정신을 잃었다. 분명. 그런데 눈을 떠보니 내가 내 방에 앉아있었다.
'나 방금 죽지 않았나?'
그리고 내 앞에는 귀여운 캐릭터가 그려진 일기장이 놓여있었다. 그건 내가 초등학생일 적 숙제 때문에 썼던 일기들이 들어

있는 일기장이었다. 나는 일기 내용을 보려 일기장을 펼쳤다. 첫 장을 펼치니 갑자기 종소리가 귀가 찢어질 듯 크게 들리더니 한 남자가 갑자기 나타났다.

'내가 드디어 헛것도 보고 미쳤구나'

당황스러워 아무 말도 할 수 없었다. 그때 남자는 나에게 따라오라는 손짓을 하더니 방문을 열고 나갔다. 난 무언가에 홀린 듯이 의심도 없이 그 남자를 따라나갔다. 그 순간, 눈을 뜰 수 없을 정도의 강한 빛이 새어 나왔고 나는 눈을 질끈 감았다. 다시 눈을 떴을 때는 눈에 보여야 할 익숙한 풍경인 내 집이 아닌, 드넓은 공원이 보였다. 당황해서 고개를 돌려본 곳에는 큰 키에 파마머리, 안경을 썼으며 배드민턴 채를 들고 있는 남자가 있었다. 왜인지 모를 익숙함이 몰려오던 찰나에, 나는 깨달았다.

"아빠다."

그럴 리가 없었다. 아빠는 죽은 지 한참이었다.

'내가 지금 이미 저승에 와 있는 건가 보다. 그럼 지금 난 죽은 거구나'

거지 같던 내 인생이 이렇게 쉽게 끝났다고 생각하니 표현할 수 없는 감정이 몰려왔다. 그것도 잠시, 금세 앞에 서 있는 아빠에게 관심을 빼앗겼다.

'정말 오랫동안 보고 싶었던 얼굴인데..'

바로 알아보지 못했다는 미안함의 감정과 함께 그리움이 몰려왔다. 바로 아빠에게 달려가려던 찰나, 그제야 아까 그 남자에 대해 의문을 가지게 되었다. 그때 아빠가 나에게로 성큼성큼 걸어왔다.

"이현아 셔틀콕 찾았어!"

갑자기 무슨 셔틀콕이람? 그제야 나는 내 팔에 쥐어진 배드민턴 채를 발견했다.

'나 왜 아빠랑 배드민턴 치고 있지?'

나는 지금 이 상황이 무슨 상황인지 당최 이해가 가질 않았지만 그건 이제 나에게 중요한 사실이 아니었다. 지금 내가 저승에 온 것인 지 아닌지 그건 이제 내게 중요하지 않았다. 그저 아빠와 함께 있는 이 순간이 좋았다. 아빠는 한껏 신난 얼굴로 나에게 셔틀콕을 보냈다. 너무 보고 싶었던, 그리웠던, 사랑했던 얼굴. 나는 다시 배드민턴 채를 꼭 쥐고 다시 셔틀콕을 패스한다. 셔틀콕은 왔다 갔다 나와 아빠 사이를 오간다. 배드민턴보다 아빠의 얼굴과 행동에 집중하게 된다. 지나가는 1분 1초가 아쉽다.

"이현아, 이제 좀 쉬고 아이스크림 먹을까?"

아빠와 나는 마트로 갔다. 쌍쌍바를 사서 반을 갈라 먹었다. 어라, 한쪽이 좀 더 크게 떼어졌다. 아빠는 망설임 없이 큰 쪽을 나에게 줬다. 아이스크림은 또 이상하게 맛있다. "아빠 나는 아빠랑 이렇게 오랫동안 같이 있고 싶어" 그때 다시 방에서 본 그 남자가 나에게 다가오더니 내 귀에 큰 종소리가 다시 들려왔다. 그러더니 순식간에 다시 내 방으로 돌아왔다. 도무지 이해가 안 갔다. 내가 죽었는데 멀쩡히 방에 있었던 것부터, 문을 나가니 공원에서 아빠가 서 있었던 것, 그리고 지금 다시 방에 돌아온 것까지.

'꿈이었나?'

꿈이라면 다시 잠들고 싶었다. 아빠가 다시 보고 싶어졌다. 그런데 아까 그 남자가 다시 내 옆에 서 있었다. 이렇게 된 이상 나는 내게 무슨 일이 일어나고 있는지 유추할 수 없었다. 누군가 그랬다.

"피할 수 없다면 즐겨라."

나는 다시 아빠를 만날 수도 있다는 희망을 품었다.

"누구세요?"

남자는 말이 없었다.

"뭐 누군지는 상관없어요. 아빠 만날 수 있게 해준 거 아저씨 맞죠?"

남자는 말없이 고개를 끄덕였다.

"아빠를 다시 만날 수 있게 해주실 수 있어요?"

남자는 말없이 일기장을 한 장 넘겼다. 그리고 또 문으로 손짓했다.

나는 아빠를 볼 수 있다는 생각에 기뻐 다시 남자를 따라나갔다. 따라 나간 그곳에서는 웬 학교가 보였다. 바로 내가 졸업한 고등학교였다. 그리고 나는 교복 차림이었다.

"이현아 우리 매점 가자. 오늘 급식 정말 맛없어"

지원이가 나를 불러 팔짱을 꼈다. 지원이는 고등학교 때 만나 지금까지도 친한 친구다. 지원이도 교복 차림이었다. 지원이도 교복을 입고 있다는 점에서 나는 내가 과거로 돌아온 것이라고 생각했다. 그제야 왜 내가 아빠와 배드민턴을 치고 있었는지 깨달았다. 어릴 적 아빠와 내가 배드민턴을 친 기억이 났다. 그걸 안 후, 나는 아빠가 없어 실망했다. 아빠를 더이상은 볼 수 없는 걸까. 그래도 돌아온 곳이 여기니까 괜찮다.

여기는 내가 제일 행복했던 장소니까.

어릴 때 아빠가 급하게 돌아가시는 바람에 집안을 위해 내 자유와 공부를 다 포기해야 했다. 당연히 친구 사귈 시간도 없었다. 아르바이트하러 가는 길에 모여 놀고 있는 내 또래 아이들을 보면 내심 눈길이 갔지만 가난은 내가 부러워할 틈도 주지 않았다. 그러다 고등학교에 진학하자 엄마는 더 이상 나에게 짐을 옮기고 싶지 않다며 공부와 내 인생에 집중하라고 했다.

그렇게 난생처음 진짜 친구가 생겼다. 서로의 고민과 생활을 터놓을 수 있는 유일한 친구, 지원이다. 지원이 외에도 다른 친구들과 두루두루 친하게 잘 지냈다. 나는 고등학교에서 처음으로 다른 사람들과 같은 삶을 살았다.

그 순간들을 느낄 때마다 엄마한테 고마웠고 미안했다.

"야 뭐해? 매점 가자니까!"

　지원이와 복도를 지나치고 계단을 내려가자 매점이 나왔다. '이게 다 얼마 만에 보는 거야' 지원이와 나는 만두를 골라 반으로 돌아왔다. 교실로 돌아올 때 교실 구석에 있는 거울에 비친 지원이와 나의 모습은 참 어렸다. 긴 생머리에 교복을 입은 17살의 나를 보니 문득 그 시절로 돌아가고 싶다는 생각이 들었다. 거울 속 단정한 교복을 입고 아무것도 모른다는 듯이 헤픈 웃음을 짓고 있는 나는 참 예뻤다. 학생은 그냥 다 이쁘다는 말이 이해가 갔다. 다시 그 시절로 돌아갈 순 없다는 사실이 뼈저리게 아팠고, 그리웠다.

　그래서 아까처럼 또 그 남자가 나타나면 다시 공허하고 외로운 내 방으로 돌아갈까 겁났다. '교실에만 있으면 날 찾진 못하겠지?' 나는 5교시가 끝나도, 6교시가 끝나도 교실 밖으로 나가지 않았다. 수업을 들으며 그저 그 시절 우리가 참 예뻤다며 추억을 회상할 뿐이었다. 수업을 듣는 아이들의 모습은 반짝반짝 빛났다. 하지만 그런 추억에 젖어있어도 생리현상을 막을 수는 없었다. 화장실을 참고 참고 또 참다가 결국 화장실로 나섰다.

　'혹시나'가 '역시나'가 된다더니 그 남자를 복도에서 마주쳤다. 그 순간 또 귀가 찢어질 듯한 종소리가 들리더니 내 방으로 나는 돌아왔다. 이제 나는 그 사람의 정체가 궁금했다. 도대체 누구길래 나를 행복했던 기억에 데려다주는 걸까. 그리고 왜 그

남자를 보면 현실로 돌아오는 걸까. 고민을 하고 있을 때 남자
는 또 내 방에 나타났다.

"근데 도대체 누구세요?"

남자는 말이 없었다. 그러더니 또 전과 같이 일기장을 넘기고
문을 열었다. 이제 나의 현실로 돌아가기 싫어졌다. 그냥 과거
의 행복에 취해있었다. 그런 달콤함에 중독된 듯 또 남자를 따
라갔다.

'어라..? 분명 과거로 돌아왔는데'

나는 집 안에 있었다. 밑을 보니 여러 책들이 쌓여있었다.

'과거로 돌아온 건 맞구나'

책의 내용과 제목을 보니 바리스타를 준비할 적으로 돌아온
것 같다. 열심히 공부한 흔적이 가득 담겨있었다. 바리스타 자
격증을 공부할 때는 다른 때와 달리 내 꿈을 위해 달려나가는
것 같아 보람찼다. 나도 평범하게 어릴 적을 보냈다면 이렇게
공부했을까? 나는 교재를 살펴봤다. 여기저기 필기의 흔적과 볼
펜의 흔적이 묻어있다. 형광펜도 여러 군데 그어져 있다. 사실
나는 지금 바리스타로서 카페를 운영하는 것이 아니라 아르바이
트생으로 일하고 있다. 바리스타 자격증을 땄지만 집안 사정 상
내 가게를 차릴 수 없었다. 나의 현실이 다시 실감되었다. 이번
엔 꽤 빨리 그 남자를 만났다.

다시 집 안, 현실을 마주하니 이제 과거로 돌아가기 싫어졌다. 과거는 과거일 뿐인데 뭐 하러 과거로 돌아갈까.

"저 그만하고 싶어요. 이게 다 어떻게 된 일인지도 모르겠지만 더 이상 이렇게 과거로 돌아가고 싶지 않아요."

내가 말하자 그 남자는 몇 초간 가만히 서있었다.

"이현아"

나는 깜짝 놀랐다. 첫 번째 과거에서 본 아빠의 목소리가 내 바로 옆에서 들리고 있었다.

'나도 모르는 새 과거로 왔나?'

옆을 순식간에 돌아보니 남자의 모습이 보였다. 그때 그 남자의 얼굴이 보였다.

"아빠.."

그 모습은 틀림없이 아빠였다. 나는 그 남자를, 아니 아빠라고 해야 하는 지도 모를 사람을 처음 봤을 때보다 혼란스러웠다. 이때까지 과거로 보내준 건 아빠였구나. 왜 나를 과거로 돌려놨지?

"이제 아빠랑 행복하게 지내자"

아빠는 가만히 웃고 있었다. 그러더니 문밖으로 나갔다. 익숙한 다정함에 끌린 듯이 문밖으로 따라나섰다. 그 후 내 눈앞에 보인 것은 어두컴컴한 곳. 사람이 아무도 없었다. 그리고 내 눈앞은 바닷가였고 배가 한 척 있었다.

"여긴 어디예요?"

제13화 오늘도 내 인생은

"아빠가 지금까지 있던 곳"

아빠는 배를 타러 걸어갔다. 나는 아빠와 함께 배를 탔다. 출발하려고 노를 지으려던 그때 뒤에서 누군가 나에게 외치는 소리가 들렸다.

"이현아! 가면 안 돼"

정신이 말짱해지는 소리에 뒤를 돌아보니 말도 안 되게 아빠가 있었다.

'아빠가 두 명..?'

다시 배를 같이 탄 아빠를 돌아보니 웬 검은 옷을 입은 남자가 서 있었다. 순간적으로 머리에 든 생각이 있었다.

'저승사자다'

다시 보니 머리에 쓴 갓과 눈 밑 다크서클 등은 자신이 저승사자라고 말하고 있는 것 같았다. 나는 얼른 배에서 내려 아빠에게가려 했다. 그 순간 저승사자는 나의 바짓 가랑이를 붙잡고 내가 못 가게 막았다.

"넌 이제 가야 해. 네가 그렇게 원하는 네 아빠 곁으로"

진짜 아빠는 내 팔을 잡고 내가 배에서 나오도록 힘쓰고 있었다. 온갖 힘을 다 쓴 후에 드디어 배에서 나왔다. 나는 아빠와 그곳을 얼른 빠져나왔다. 그리고 드디어 배에서 한참 멀어졌을 때, 그제야 아빠의 얼굴이 잘 보였다. 아빠의 얼굴을 보자 울음이 나왔다. 내가 기억하는 진짜 다정한 얼굴의 아빠다.

"이현아, 이제 아빠는 가야 해. 지금은 잠시 시간 낸 거야. 앞으로도 가영이가 스스로 잘 격려하고 위로하면서 잘 지내야 해."

"아빠 이제 가요?"
나는 울먹이며 말했다.
아빠를 진짜 떠나보내고 싶지 않았다.

"아빤 계속 너 지켜보고 있을 테니까 항상 최선을 다해. 그리고 절대 지금처럼 네 인생을 놓지 마. 넌 아직 여기 오려면 멀었어."

아빠와의 만남은 너무 짧았다. 이승과 저승의 경계에서 오래 머물 수는 없었다.
"이제 저쪽으로 눈 감고 뛰어가. 아빠는 뒤에서 너 갈 때까지 지켜볼게"
나는 눈물을 머금고 아빠가 가르쳐 준 대로 눈을 감고 뛰었다. 내가 다시 눈을 떴을 때 나는 병원 침실에 누워있었다. 내가 강에 뛰어들었을 때, 한 남자가 우연히 나를 구해준 것이다. 그 남자는 큰 키에 파마 머리, 안경을 썼다고 한다.

나는 퇴원 후 평상시와 같이 일상생활을 했다. 다만 달라진 것이 있다면 이제 내 인생을 수학 문제 따위라고 생각하지 않는다. 그리고 이젠 내 꿈에 한 발짝 더 가까이 다가가려 한다. 내 머리를 스쳐 지나갔던 주마등처럼 내 인생에 행복한 장면을 하나 더 추가해 볼까 한다.

오늘도 내 인생은 일몰 때의 바닷가처럼 잔잔하면서 아름답다.

지금 이 순간도

내가 죽을 때 주마등의 한 장면으로 남아주길.

제14화 삶의 의미를 찾아줘

오선의

이연아 시점

요즘 학교가 떠들썩하다. 대놓고 이야기하지는 못하는 듯 수군거리기만 한다. 대놓고 하지도 못할 거면서 수군거리기는. 나는 애들을 흘겨보고 눈을 흐렸다. 잠을 못자서 그런지 눈도 뻑뻑하고 평소에는 하지도 않을 생각이 든다. 나는 한숨을 푹 쉬곤 책상에 엎드렸다. 학교 책상은 잠을 자기엔 불편하지만 학생들은 잘만 잔다. 나는 눈을 감았다.

"연아야 괜찮아..?"

어떤 애가 와서 말을 건다. 좀 귀찮은데 무시할까. 애들이랑 친하게 지내기로 했으니 어쩔 수 없었다. 오늘 따라 한숨 쉴 일이 많았다.

고갤 들어 확인해 보니 우리반 반장 정지연이다. 정지연이 무슨 일이지? 나는 걱정이 어린 눈동자와 마주쳤다. 대체 뭔 일이길래 이러는 거야. 설마 학교가 수군거리는 거랑 관련 있나.

"음.. 왜 그래 지연아?"
"무슨.. 소리야 연아야.. 수아가 죽었잖아...."

아 맞다. 그러고보니 한수아라는 애가 죽었다는 걸 까먹고 있었다. 음 근데 죽은 거야 안타까운 일이라지만 이 정도로 걱정 받아야 하나? 하지만 이런 내 생각을 말하면 돌아오는 건 이상하다는 눈빛이나 끔찍하다는 얼굴 뿐이었다. 나는 말을 고쳤다.

"아.. "

나는 눈을 내리깔고 떠올리기 싫었던 걸 떠올렸단 듯이 행동했다. 기분이 좋지 않다는 건 지금 내 마음과 일치했기에 쉽게 흉내 냈다.

지연이는 말을 황급히 꺼냈다. 괜찮아? 미안해.. 나는 네가 걱정 돼서.. 아냐 괜찮아. 나는 괜찮다는 듯 웃어 보였다. 하지만 지연이는 더욱 미안하단 듯 행동했다.

"지연아 나 쉬고 싶어서.."

지연이는 알았다는 듯 얼른 자리를 비켜주었다. 주변 애들이 아까 전부터 힐끔거리더니 이제 시선을 거둔다. 대화가 궁금했나 보지. 어차피 모든 인간은 다 죽는다. 어릴 때 요절하든 늙어서 자연사하든 똑같았다. 결국 자연으로 돌아가는 건 모든 인간이 겪어야 할 일이니까.

지금 이 삶에는 아무런 의미가 없었다. 부정적인 의미로 없는 게 아니라. 의미 자체가 없었다. 그냥 어릴적 부터 자연스레 깨달은 사실이다. 그렇지만 다른 사람들은 그렇지 않은가 보다. 내가 봤을 땐 저들도 삶늬 의미가 없다는 걸 알고 있다. 그러니까 삶이 의미가 있다고 박박 우기는 것 아닌가. 진짜로 삶의 의미가 있었으면 내 말에 화를 낼 리가 없었겠지만 말이다.

남들이 다 중요하게 여기는 것들이 나에게는 별로 흥미롭지 않았다. 그리 대단해 보이지도 않았다. 그렇지만 다른 사람들은 그걸 이해하지 못했다. 그들은 나를 무서워하거나 불쌍히 여겼지만 내 눈에 더 이상한 건 그들이었다. 어차피 사라질 가치에 목을 매고 남이 정해준 길을 아무렇지도 않게 따라가면서 잘못되면 남을 탓했다. 세상은 있는 그대로 있을 뿐이란 사실을 받아들이지 못하는 그들이 내 눈엔 더 불쌍하고, 처참하게 보였

제14화 삶의 의미를 찾아줘

다. 뭐 아무래도 좋았다.

&

반장 지연이가 날 부른다. 선생님들이 데려오라 시켰댄다. 장소는 상담실이었다. 지연이가 데려다 줄까 물었지만, 나는 그냥 내가 혼자 가겠다고 대답했다. 지연이는 아무래도 나에게 사과를 하고 싶은 눈치였다. 나는 그냥 같이 가자 했다.

상담실로 가는 도중에 지연이가 사과하는 건 괜찮다고 대꾸하며 시간을 보내니 상담실에 도착했다. 지연이는 사과 받아줘서 고맙다는 듯 웃고 돌아갔다. 지연이의 흩날리는 머리카락이 점점 작아졌다. 멍하니 바라보고 있자니 안에서 날 부르는 소리가 들렸다. 나는 상담실로 들어갔다.

상담실은 꽤나 편한 분위기를 연출했다. 가운데 나무 책상이 있었고 쿠션이 달린 의자가 양 옆에 있었다. 책상 위에는 귀여운 인형이랑 식물이 있었다. 이미 미리 앉아 있던 선생님이 앉으라고 하셨다. 나는 푹신한 의자에 몸을 실었다. 뭐하러 불렀지, 또 걔 일인가.

"선생님도 이번에 수아가 그렇게 죽어서 마음이 아파. 선생님이 너에게 할 일은 아니지만, 수아가 그런 선택을 했을 만한 이유가 뭔지 물어도 될까? 굳이 억지로 이야기 하지 않아도 좋아."

인자한 성품을 가지시고 학생들 사이에서 친절하다며 인기가 많으신 박한별 선생님이셨다. 확실히 선생님은 누구나 다가가기 쉬운 친근하고 푸근한 얼굴이셨다.

나는 어떻게 대답할지 고민했다. 애초에 왜 나지? 그리고 보니 수아랑 친구처럼 보였던 적이 있다. 그렇지만 나는 다가오길래 대답해 줬을 뿐 걔랑 친하다고 생각해 본 적은 없다. 짚이는 게 없었다.

"잘.. 모르겠어요.."

고개를 푹 숙이니 머리카락이 흘러 내 얼굴을 가려준다. 진짜 귀찮다. 그냥 집에 가서 잠이나 자고 싶었다. 카피라도 타 달라 할까? 아, 아니지 그러면 대충 넘어가려한 게 들키면 어쩌려고. 그건 더 더욱 싫었다. 이상한 취급 당하는 건 지겹다.

선생님은 안타깝다는 듯이 눈썹을 찌푸리셨다. 어지간히도 마음이 아프신가보다. 선생님이 입을 여셨다.

"그래.. 수아 일 떠오르게 해서 미안하네.. "

선생님은 특유의 인자함으로 웃었다. 씁쓸해 보이기도 했다. 나는 무기력하게 걸어 나왔다. 무기력한 건 사실이었다. 피곤했으니까 말이다.

&

    나는 물을 타러 정수기로 걸어갔다. 정수기는 우리 교실에서 나와 왼쪽 중앙 계단 쪽으로 걸어가면 나왔다. 보통 목이 말라도 물을 잘 안 마셨다. 화장실 가는 게 귀찮았으니까. 그렇지만 지금은 찬물이라도 들이키지 않으면 피곤해서 미칠 거 같았다. 그쪽 사람인 척 하는 것도 피곤해지면 언제 폭발할지 몰랐다. 숨 쉬는 거나 학교 다니나 별반 다를 게 없는데 학교 다니는 쪽이 압도적으로 에너지가 많이 쓰였다. 손해도 이런 손해가 없었다. 이런데도 문제 한 번 안 일으키고 다니는 나는 모범 시민상이라도 받아야 했다. 줘도 쓸모가 없겠지만.

    어느새 정수기에 와 물을 받아 마셨다. 너무 차가운 물을 한꺼번에 들이켜서인지 골이 띵했다. 아, 진짜. 나는 한숨을 깊게 쉬었다. 지겹다. 미치도록 지겹다. 그러다가 어느새 진정이 돼어 권태로움만이 밀려왔다. 다시 교실로 돌아가야겠지. 나는 걸음을 옮기려 했다. 누군가가 붙들지만 않았으면 말이다.

    ″이연아! 이연아! 허억.. 너 이연아.. 허억..맞지?″

    다급하게 뛰쳐오는 누군가가 양 손으로 내 어깨를 덥석 잡았다. 아 뭐야. 꽤 힘이 세서 어깨가 좀 아팠다. 걔는 내 얼굴을 마주 보고선 절박한 얼굴을 했다. 오늘따라 진짜로 재수가 없었다.

"맞는데.. 왜 그래?"

나는 최대의 인내력을 긁어모아 빙긋 웃으며 대답했다.

"너.. 한수아랑 친했다며 나도 한수아랑 친했거든.. 흐윽..흡.. 근데.. 걔가 죽어버려서..."

수아, 수아, 수아, 수아, 그 놈의 한수아! 죽어서도 민폐인가 싶었다. 아니 그냥 다 같이 민폐이려나. 나는 한숨을 삼키고 걔가 우는 걸 달래주었다.

"나는.. 인정할 수 없어.. 아니, 못해!! 어떻게 그렇게 죽을 수가 있어? 아니지, 수아는 그런 애가 아니야 절대! 수아를 그렇게 만든 녀석을 찾아서 복수할 거야!"

하아... 이번엔 진짜로 한숨이 나왔다. 죽는 건 당연한 이치가 아니었던가 얘는 그것도 모르나. 아니 모르진 않겠지. 나는 눈을 감았다. 다 귀찮았다.

"그래서.. 날 찾아온 이유는 뭐야?"

"혹시 수아를 그렇게 만든 애를 알아?"

"난.. 잘 모,"

"모른다면 같이 찾아줄래!?"

이름 모를 애는 절박하게도 말을 걸어 왔다. 정말 찾고 싶은
가 보지. 근데 자살이라고 경찰이 판명한 이상 수아라는 애는
진짜로 자살로 죽은 게 맞을 거다. 그러니까 이건 산 사람이 죽
은 사람을 미련하게 보내주지 못해서 울며 붙드는 것에 불과했
다. 그렇게 친한 친구였으면 안 죽게 도와주지, 왜 나한테 그러
는지 모르겠다.

"미안.. 나는 더 이상 수아를 볼 자신이 없어서.."

그 애는 내 어깨를 놓으면서 말했다.

"그렇구나... 그렇다면 미안해 그렇지만 언제라도 마음이 바
뀌면 나에게 연락해! 이건 내 연락처. 내 이름은 강지아야."

강지아는 나에게 전화번호랑 이름이 적힌 메모장을 쥐어주었
다. 그러고선 자기 반으로 돌아가는 듯 했다. 몸에 힘이 쭉 빠
지면서 탈력감이 든다. 메모장을 버릴까 싶었지만, 그 얼굴을
보니 당장 내일이라도 뛰쳐올 거 같았다. 메모장을 치마 주머니
속에 꾸겨 넣었다. 한 손에 들려있던 물병의 물을 쭉 마셨다.

골이 띵했다.

집에 돌아왔다. 피곤함이 몸을 짓누른다. 샤워도 생략하고 자고 싶었지만 습관은 자기가 알아서 몸을 움직였다. 그저 흘러가는 대로 그저 숨이 쉬어지는 대로 사는 게 인생이었다. 그렇지만 인생은 거창한 게 아니었다. 대단치도 않았다. 정말 숨을 쉬고 시간을 죽이는 일 말곤 없었다. 다른 이들은 그렇지도 않은지 힘이 넘쳐나고 신경 쓸 필요가 없는 곳에 신경을 썼다. 나도 별반 다를 게 없나. 잠을 못 자서 그런가. 예민하고 신경질적으로 변했다. 평소라면 무시하고 끝날 일인데. 얼른 자야겠다. 샤워를 마치고 침대에 누웠다. 암전이었다.

&

강시아 시점

수아야. 내가 잘못했어. 그때 너를 혼자 두는 게 아니었는데, 네가 힘든 걸 알면서도 나는 너를 챙겨주지 않았어. 다 내 잘못이야. 미안해 수아야. 제발..

"돌아와줘... 미안해, 수아야..."

'그렇지만, 어떻게 혼자서 갈 수가 있어? 그런 식으로 그렇게 떠나면 나는? 나는? 차라리 같이 가자고 하지 왜..!!' 너를 막지 못했다는 죄책감과 미리 말도 안 해주고 떠난 네가 너무 미워. 원망스러워! 그래 죽은 네가 너무 원망스러워. 침대 시트를 움켜쥐었다. 정신이 퍼득 들었다. 나는 수아를 욕할 자격이 없었다.

"아냐.. 수아 넌 잘못 없어. 내가 못 나서.."

알면서도 방치했다는 죄, 나의 죄는 너무 무거웠다. 하지만 그런 생각이 들수록 나는 네가 미워졌다. 내가 무슨 죄가 있어? 모두들 방관했다고! 그런 주제에 죄책감은커녕 넘어가려고만 하고! 아냐.. 이건 분명 누군가가 수아를 그렇게 만든 거야. 우리는 모두 다 속아 넘어간 거라고! 분명, 분명히 수아를 그렇게 만들도록 몰아간 거다. 그렇지 않으면 설명이 안 돼. 네가 죽을 이유가 뭐가 있는데? 그치? 그렇지 수아야? 내가 꼭 너를 그렇게 만든 애를 찾아서 복수해줄게. 반드시.

강시아는 고작 17살이었다. 친구가 자살한 것과 막지 못했다는 죄책감, 나를 혼자 두었다는 원망은 도저히 그대로 받아들일 수가 없던 것이다. 그냥 그런 일이 일어났다고 유감스러운 일이라고 인정할 만큼 강시아는 마음이 강하지도 어른스럽지도 않았다. 강시아가 할 수 있었던 일은 한수아를 죽음으로 몰아간 '가해자'를 만들어 자신의 책임을 다했다고 생각하는 것뿐이었다.

&

이연아 시점

   오늘은 주말이었다. 무언가를 하고 싶은 마음은 들지 않았다. 그렇지만 정해진 루틴은 있다. 8시에 일어나 엄마가 택배로 보내준 반찬을 받고 데워서 아침을 먹는다. 그리고 남은 건 냉장고에 둔다. 나는 부모님의 허락을 받아 혼자 자취를 한다. 아무래도 태어날 때부터 보통 사람들과 달랐다는 걸 아는 부모님은 나의 그런 면을 모르는 척하거나 억압하셨다. 보통 사람들이 어느 상황에 어떤 감정을 느끼는지 알려주셨다. 그 덕에 나는 사람들 사이에 잘 어울릴 수 있었다. 그렇지만 귀찮은 건 귀찮은 거였다. 솔직히 부모님이 행동하란 대로 다라보지 않은 적도 있는데, 더 귀찮은 상황이 만들어져서 진작 그만뒀다.

   아무튼 지금 나는 부모님과 떨어져 사는 지금이 훨씬 편했다. 아침밥 먹고 나면 책을 읽거나 공부를 하거나 유튜브를 무작정 보며 시간을 보내면 점심밥을 먹고 샤워를 하고 다시 아무거나 하고 그런 식이었다. 막상 말하고 나니 그냥 8시에 일어나 11시에 잔다는 것 외에는 정해진 루틴이 없었다. 뭐 상관없나.

   침대에서 일어나 아침밥을 먹을 생각이었다. 그때 카톡이 울렸다. 뭐지 싶어서 핸드폰을 보니 강지아라는 애한테 연락이 왔다. 나는 강지아에게 연락처를 준 적이 없는데, 이것도 집착이라면 집착이었다.

[연아야 일어났어? 혹시 오늘 오후 1시 학교 근처 놀이터에서 만나지 않을래? 물어볼 게 있어서. 정말 면목 없지만 한 번만 나와주면 더 이상 귀찮게 굴지 않을게 부탁이야.]

나는 눈을 한 번 내려서 고민했다가 눈을 다시 올렸다.

[약속 지켜야 해?]

강지아가 말한 장소에 나왔다. 시간은 12시 50분. 10분 정도 일찍 나왔다. 주말이고 할 일도 없었으니 일찍 나오는 게 좋겠다 싶은 결과였다. 그러고 보니 한수아란 애랑 여기 왔었던 기억이 있다. 지금까지 잊고 지냈는데 장소에 오니 기억이 났다. 분명히 무슨 대화를 했다. 근데 솔직히 일주일도 넘었고 굳이 기억해야 하나 싶다. 아참, 강지아라는 애는 내가 수아라는 애랑 친분이 있다고 생각해서 이러는 거였지? 그러면 기억하는 편이 좋겠다. 나는 한수아와 대화했던 곳, 그네에 앉아서 고민했다. 그네의 형태는 1인용 그네가 2개 있는 형태였다. 옆에 비어 있는 그네를 봤다.

["나랑 같이 죽어줄래?"]

어떤 여자애의 목소리가 나에게 말을 건다. 기억났다. 이건 한수아의 목소리였다. 한수아와 나는 여기서 대화를 나눴던 거다. 무슨 말을 했는지 다 떠오르진 않지만, 대화를 생각해 보니 한수아가 죽은 이유가 나와 관련이 있을지도 모르겠다. 아 그래서 다들 그 난리를 쳤던 건가? 그런 생각이 잠깐 들었으나, 이내 기억이 한 구석으로 밀려났다.

"연아야!"

목소리가 나는 쪽은 뒤였다. 고개를 돌려 쳐다보니 강지아였다. 핸드폰을 꺼내 시간을 보니 12시 56분. 이쪽도 늦게 온 건 아니었지만, 내가 빨랐다.

"먼저 온 거야? 기다리게 해서 미안하네."

강지아는 어제와 다를 바가 없는 말투였다. 그렇지만 나는 알 수 있다. 사람들한테 관심이 없고 일정 구간 정해둔 선이 있기에 더 잘 보이는, 다른 사람의 숨긴 모습 같은 것들 말이다. 지금 강지아는 나에게 적의를 품고 있다. 아니, 원망도 느껴진다. 하룻밤 새에 무슨 감정의 변화를 겪었나 싶었지만, 어제 나의 상태가 안 좋았음을 깨달았다. 어제도 이랬는데 내가 느끼지 못한 건지 아니면 강지아가 심경의 변화라도 겪은 건지 알 수 없게 되어버렸다. 어쨌거나 나에 대한 원망을 숨기면서까지 하고 싶은 일이 뭔지 구경이나 하기로 했다. 어떻게 되든 상관은 없지만 그렇다고 무언가를 할 생각 또한 없었다.

"아냐, 심심해서 일찍 나온 건데 뭘, 미안해 할 필요는 없지."

그 순간 강지아의 눈빛에서 어떤 경멸이 스친다. 너 같은 애가 그런 걸 신경 써? 싶은 듯한 얼굴이다. 뭐지 애 웃기네. 감정을 숨기려고 하긴 했지만 그런 쪽에 능숙한 편은 아닌 사람 같았다. 애초에 감정을 숨겨 본 적이 별로 없어 보였다.

무엇이 그리도 하고 싶어 애를 쓸까? 노력이 가상해서라도 어울려 줘야만 할 것 같았다. 물론 비유였고, 진짜로 해줄 마음은 없다. 귀찮게 내가 뭐 하러.

"연아야 이걸 봐줄래?"

연아가 내민 것은 공책이었다. 신경을 안 써서 몰랐는데 에코백 가방을 메고 왔었다. 거기에서 꺼낸 것 같다. 공책을 살펴보았지만 그냥 공책이다. 안에 내용이 있을까 생각하며 펼치니 누군가의 감정이 꾹꾹 담긴 글이 보인다. 아무래도 일기장 같았다. 그리고 대강 보니 부정적인 말들이 많이 보였다. 일기는 우울할 때만 써진다던 친구가 떠올랐다. 이것도 그것의 연장선이려나. 시덥지 않은 생각이 잠깐 들었지만, 다시금 강지아가 어째서 나에게 일기장을 주었는지 고민했다. 그런데 굳이 고민을 해야 하나? 절박한 건 저쪽이지 내가 아니었다. 순간 김이 팍 샜다. 나는 공책을 다시 돌려주었다. 강지아의 손에 얹어주니 당황으로 물들다가 곧 분노와 더욱 심해진 원망으로 나를 쳐다보았다. 이젠 숨기는 것도 한계 같았다. 더 이상 나를 참는 게 힘든 듯 강지아는 손을 올려 나를 쳤다. "짜악!" 하는 파열음과 함께 놀이터는 정적으로 가득했다. 얼마나 세게 쳤던지 내 볼은 물론이고 저쪽 손바닥까지도 붉어졌다.

"네가 그러고도 사람이니? 아니 이미 사람을 죽였으니 넌 사람도 아니겠네. 그렇지, 이거 인터넷에 뿌려서 네 인생의 모든 일에 걸림돌이 되도록 만들 거야. 기필코 그렇게 할 거야."

"그렇게 할 거라고오!"라며 마무리까지 완벽하게 해낸 강지아를 살폈다. 상황 파악을 마치고 제일 처음 든 생각은 어이없다였다. 그리고 애매한 선의가 다른 사람들을 더 미치게 만든다는 걸 느꼈다. 나는 그냥 내 본 모습대로 생활하는 거나 억지로 상황을 맞춰서 말해 일을 더욱 꼬이게 만드는 거나 똑같다고 느꼈다. 둘 다 엄청 귀찮기는 매한가지고, 후자는 귀찮은 일을 만들지 않으려고 내 시간과 에너지를 투자했기에 더 손해처럼 느껴졌다. 아니면 완벽하게 끝까지 속이지 않는 이상 후자는 기필코 나중에 터진다는 걸, 그렇지만 나는 그만큼의 노력을 하고 싶지도 않았고 내가 살아온 방법 중 최선의 선택을 한 것 뿐이었다. 그렇지만 이쪽이나 저쪽이나 똑같다. 나는 '억지로 상황에 맞추기'를 멈췄다.

"하던가."

관심 없다는 눈빛으로 흘겨주니 강지아의 꼴이 더욱 말이 아니었다. 자신의 무기가 먹히지 않아서 분하다는 듯이 씩씩거린다. 할 말은 이게 끝인가. 별 것도 아닌 걸로 부르네. 나는 어느 정도 긴 머리카락을 쓸어 넘기고 한숨을 쉬었다. 그렇지만 정말로 저게 인터넷으로 퍼진다면 귀찮아지는 건 확실했다. 일단 자살한 아이의 일기장이고 그 이유가 친구의 영향이 있다면 좋은 쪽이든 나쁜 쪽이든 나에게 관심이 쏠릴 게 분명했다. 상황이 이렇게 된 것에 한탄하며, 어째서 세상은 날 가만히 두지를 않는가 생각했다. 귀찮았다.

"근데 너는 왜 나한테 이걸 보여주는데? 대체 뭐가 하고 싶길래."

강지아는 기가 차 말도 안 나온다는 듯이 눈을 크게 뜨고 입을 벌렸다. 그리고 강지아의 입이 움직였다.

"너는 죄책감이 없어? 네가 저지른 잘못이 안 보여? 너 사이코패스지? 수아가 너 때문에 상처 입고 자살한 거잖아..!!!"

"아 그래?"라고 짧게 읊조렸다. 어쩐지 내가 진짜 직접 죽였으면 기억에 남았을 텐데, 이 정도로 기억에 없는 걸 보니 직접 죽인 게 아니다. 강지아 손에 들려있던 일기장을 잽싸게 빼 왔다.

"야! 그거 당장 다시 안 돌려내!? 하, 증거인멸이다. 이거지? 가져가 봐 어차피 복사 해뒀으니까."

딱히, 증거인멸은 생각하진 않았다. 그냥 한수아가 죽은 이유를 살피기 위해 일기장을 가져온 것이다. 까먹었으니까. 세세한 것까지 기억하지 않으니까. 일기장을 펼쳤다. 이런 상황에 갇히게 만든 이유라도 알아야 할 것 같았다. 조금이라도, 억울한 기분은 오랜만에 들었다. 아니, 애초에 대부분이 억울했으니 그다지 오랜만도 아니었다.

&

한수아 시점

"와, 요즘에도 이런 식으로 고백하는 애가 있어? 미친, 겁나 촌스러워."

"지이익-" 두 손이 종이를 잡고 비튼다. 아 찢어진다. 종이 조각들이 어느새 바닥에 흩뿌려진다. 내 편지다. 좋은 종이를 쓰겠다고 다이소에서 산 그 종이가, 한 자 한 자 이쁘게 꾹꾹 담아 눌러쓴 내 글자가 찢어졌다. 이렇게 간단히. 눈시울이 뜨겁다. 얼굴을 손으로 다 가리기도 전에 눈물이 후드득 떨어졌다.

"솔직히 네가 지호 오빠를 좋아하든 말든 지호 오빠 신경도 안 쓸 걸?"

그렇게 따지면 너나 나나 별반 다르지 않잖아. 너도 그냥 말만 하는 게 다면서.

"야 너 눈을 어디다 대고 그따위로 뜨냐? ..뭐야 너 우냐? 미친 진짜 우네?"

.

.

.

그 이후로는 어땠더라? 그래 도망쳤었지. 비웃음까지 당하고 싶진 않았어. 지금은 시간이 흘러 좋아하던 마음도 접었어. 그렇게나 좋아했는데, 생각보다 쉽게 마음을 접었어. 돌이켜 보면 지호라는 그 애는 그냥 어디에나 있는 학생일 뿐인데 좋아했던 내가 이상했던 걸지도 몰라. 너무 의미 부여를 했나 봐.

.

.

.

학교로 등교했다. 언제나처럼 가방을 책상에 거니 매일 보는 풍경이 들어온다. 아직 아침 시간이기에 책상에 걸린 가방 수가 적다. 매일 아침에 일찍 오는 친구가 있는데, 교실 가운데 자리에 앉은 사람이다. 이름이 이연아다. 이연아와 눈이 마주친다. 너무 뚫어져라 쳐다봤다. 무슨 말을 하기도 전에 고갤 돌렸다. 나도 모르는 척했다.

'아, 내가 왜 쳐다봤지? 괜히 뻘쭘해지잖아!'

그 이후 수업 시간에도 알게 모르게 엮이곤 했다. 선생님이 발표시킬 때 같이 한다던가 종종 눈이 마주치곤 했다.

'이 정도면 이상한 사람으로 생각하는 거 아닐까?'

충분히 그럴만 했다. 친하지도 않는데 자꾸 쳐다보는 것만으로도 불쾌한데 은근히 엮이니까. 그렇다고 사과를 하기도 애매했다. 그렇게 고민하니 오히려 더 연아랑 눈이 마주쳤다.

"차렷, 선생님께 경례."

"""""""감사합니다."""" "

"그래~ 집에 잘 가렴~"

선생님이 손을 가볍게 흔드시곤 앞문으로 나가셨다. 수업이 마치자 금새 소란스러워졌다.

야 오늘 마라탕 먹을래? 잉, 안 돼 나 돈 없어. 야! 이 실내화 주인 누구야? 빨리 책상에 의자 올리라고! 아 청소하기 싫다. 야 여기 더럽힌 사람 누구야.

이런저런 소리가 들려온다. 매일 같이 들으면 백색소음처럼 뇌에서 자동으로 노이즈 캔슬링이 된다. 익숙해진다는 건 정말 무섭다. 가방에 공부할 책을 넣는 중 반장이 말을 걸었다.

"수아야, 연아가 너 부르는데?"
"뭐, 뭐라고? 일단 알겠어.."

반장이 하는 말을 듣자마자 도둑이 제 발 저린 것처럼 어색하게 반응해 버렸다. 연아가 무슨 말을 할지 예상하며 가방을 챙겨 복도로 나왔다. 복도를 두리번거리니 연아가 신발장 앞에 서 있다.

"너 나한테 할 말이라도 있어?"
"응? 아 무슨 할 말이 있던 건 아니고... 그냥 우연히 보게 된 건데 기분 나빴다면 정말 미안해!"
"아 그럼 됐어. 난 괜찮아."

나는 한숨을 푹 내쉬었다. 다행이다. 연아가 되게 쿨한 성격이어서. 고마운 마음이 들었다. 주머니에 있던 마이쮸를 꺼내 건넸다.

"이거 너 먹어 사과 받아줘서 고마워!"

연아의 손에 쥐어주고선, 계단 쪽으로 뛰어갔다. 연아에게 팔을 크게 흔들며 소리쳤다.

"내일 보자 연아야!!"

점점 작아지는 연아가 보였다. 멀어서 그런지 표정은 안 보였다.

그날을 계기로 연아와 친해지게 되었다. 연아는 그렇게 생각할지 모르겠지만, 전과 달리 가까워진 거리가 마음에 들었다. 사실 연아만큼 편한 사람이 없다. 다른 애들은 잘 보이기 위해 어느 정도 말을 맞춰야 하는데 연아는 그런 걸 신경 쓰지 않는다. 나도 맞추지 않아도 되니 마음이 놓인다. 종종 약속을 잡아 주말에 놀러 가기도 하고, 쉬는 시간에 수다도 떨었다. 어쩌면 내 유일한 친구라고 생각했다.

.

.

.

　아니, 생각했었다. 걔는 나를 친구로 생각하지 않는다. 아니 애초에 사람을 사람으로 보긴 하는 걸까? 너에게 있어 나는 무슨 의미였지? 아니, 너는 무슨 의미라든가 이유라는 게 있긴 했나?

　나는 주기적으로 우울할 때가 찾아온다. 언제 찾아올지는 모르지만, 일 년에 한 번은 우울할 때가 있다. 보통은 짧으면 일주일, 길면 한 달이기에 이 순간도 지나갈 거라 생각했다. 그렇지만 위로받고 싶은 마음이 들었다. 실제로 힘들었으니까. 전에도 위로받고 싶어 같은 반 친구를 부른 적이 있었는데 그때는 친구가 나를 다그쳐서 상처받았다. 그때는 그랬지만 연아는 다를 거라 여겼다. 주말에 연아를 놀이터에 불러 만났다.

　"연아야 여기야 여기!"
　"어 수아야, 무슨 일로 부른 거야?"

　나는 연아와 그네에 나란히 앉았다. 내 마음속 깊숙이 묻어 놨던 고민을 털었다. 연아는 고개를 끄덕이며 묵묵히 듣고 있었다. 말을 하다보니 감정도 실려와 눈물이 고였다. 연아 너라면 이런 말을 해도 괜찮을 것 같았다.

　"사실, 살다 보면 죽고 싶다 라는 생각이 들 때가 있어."

연아는 그저 묵묵히 들었다.

"사실 꽤 자주 그래 자살하고 싶어도 너무 무서워도 혼자선 도저히 못 하겠어. 너만 괜찮다면.. "
"나랑 같이 죽어줄래?"

말했다. 어떻게 반응할까? 내가 너무 심했을까? 그렇지만 연아야 너는 내 친구잖아. 숙이고 있던 고개를 들어 연아를 보았다.

"그래."

건조한 한마디가 스쳐 갔다. 바람 부는 소리가 이것보단 감정이 실렸을 거다. 이건 그냥 소리였다. '그래'라는 소리. 너는 눈에 그 무엇도 담지 않았다. 유일하게 보이는 건 아무래도 상관없다는 무관심. 너는 나를 대체 뭐로 보는 거야? 표정이 구겨지고 경악으로 물들었다. 너덜너덜하고 찢어진 종이처럼 표정이 그려진다.

"이연아.. 너 그거 진심 아니지? 나 말릴 거지? 내가 이런 말 해서 속상하지? 그렇지?"

연아는 눈도 마주치지 않은 채로 읊조렸다.

"아니."

그 소리를 듣고 쫓기는 듯 뛰쳐나왔다. 이연아가 없는 곳 이
연아에게서 멀리 떨어진 곳. 가능하면 최대한. 그렇게 도망쳐
나왔다.

침대에 엎어져 계속 눈물을 흘렸다. 배신감, 원망? 그것보다
더 심했다. 이연아는, 나를 친구로 봤는지 그 전에 나를 사람으
로 생각했는지조차 모르게 되었다. 확실한 건 딱 한 가지였다.
나는 연아에게 아무런 의미가 없다는 것을. 차라리 화를 냈다
면, 차라리 그런 말 마라고 울었다면. 이런 기분은 느끼지 않았
을 텐데. 그런 사실을 뼈저리게 느끼고 나니, 정말 배신감이 들
었다. 그러면 대체 왜 나랑 친구처럼 지냈던 거야? 그냥 처음부
터 선을 그었어야지. 너는 정말 최악이야.

어느 정도 울고 나서 세안를 하러 화장실에 들어갔다. 거울
에 비친 나는 눈시울은 벌겋고 머리카락은 다 풀어지고 눈두덩
이는 부었다. 초췌한 나를 바라보니 떠올리고 싶지 않았던 사실
이 떠올랐다. 이 세상에 의미는 존재하지 않는다는 것. 그 사실
이 결국 문장으로 완성되어 머리 속에 나타났다. 내 첫사랑은
평생 좋아할 거 같다가도 마음을 접고, 친구라고 여겨왔던 애는

친구가 아니다. 나는 왜 친구가 중요하다 생각했던 걸까, 애초에 친구라는 게 뭘까. 아무것도 모르겠다. 더 이상 생각하기 싫다. 세면대에 받아놓은 물에 얼굴을 담궜다. 너무 차가웠지만, 얼굴을 들지 않았다.

&

[연아야, 오늘 학교 마치고 옥상으로 올라와 줄래? 이미 옥상 문은 열어놨어. 네가 한 약속은 지킬 거지?]

[그래]

학교 옥상에 교복을 입은 한 사람이 서 있다. 한수아다. 옥상의 문을 열어 나오는 사람은 이연아다. 서로가 서로를 마주 보더니, 한수아가 먼저 입을 열었다.

"너 정말 죽으러 온 거 맞아?"

"맞는데."

한수아의 눈빛엔 너무 많은 감정이 담겼다. 너무 많은 감정이 고여있기 때문인가, 한수아의 눈은 그날따라 더욱 거멓게 보였다. 한수아는 할 이야기가 너무 많아서 어디까지 이야기해야

할 줄 모르는 사람처럼 보였다.

"너에게 이제 친구로서 할 말은 없어, 연아야. 그렇지만 너는 죽지 말아줬으면 해."

"그래."

이연아는 평소와 같이 대답했다. 한수아의 입이 약간 벌어졌다. 그렇지만 이내 다물어졌다. 한수아는 쇠봉으로 된 옥상 울타리 쪽으로 걸어갔다. 그러더니 울타리 위에 위태롭게 앉았다. 한수아는 공포를 느끼고 몸을 떨면서 손으로 쇠봉을 꽉 쥐었다.

"정말 무섭다, 진짜로. 그런데 이 공포가 내 앞으로의 인생의 고통을 더한 것보단 적을 거 아냐."

목소리는 가늘게 떨렸다.

"아무런 의미가 없는 세상은, 부조리한 세상에게 더 이상 미련은 없어. 없을 거야."

한수아는 공포로 얼굴이 일그러져 입가가 떨렸음에도, 웃고 있었다. 눈물을 흘리지 않았지만 눈물이 잘 어울리는 얼굴이었다.

"연아야 한 가지 부탁이 있어."
"뭔데?"
"너는 꼭 삶의 의미를 찾았으면 좋겠어."
"그래."
"너는 끝까지 이연아구나..."

그 말을 마지막으로 한수아는 떨어졌다.

&

한수아의 일기장

이연아 네가 너무 소름 돋아. 끔찍해. 너는 인간이 아니야. 아무런 감정도 없는 무지렁이일 뿐이야. 말하는 것 같아도 내뱉은 말의 뜻을 몰라. 네가 하는 말의 의미가 어떤 것인지 전혀 고려 하지 않아. 이런 애를 내 친구로 생각했다니. 이해할 수 없어. 어떻게 그런 애를 친구라 여겼을까? 아니, 내가 왜 바보 같아? 잘못한 건 너잖아, 이연아. 상처 준 너는 아무렇지도 않은데 왜 나만 아파? 왜 나만 괴로운 건데? 이연아 너는 나만큼 아니 나보다 더 고통스러워야 해. 힘들어라, 괴로워라, 자신에게 신물이 나라, 인생에 대한 기대를 잃어버려라. 그냥 네가 너무 불행했으면 해. 이연아. 더 내려갈 수도 없을 정도로 깊게 내려 앉아 다시는 올라오지 못했으면 해. 어떻게 하면 그럴 수 있을까? 그냥 같이 죽어버릴까. 아니 고작 그 정도로는 충분히 괴로울 수가 없어. 죽으면 끝나니 오히려 좋은 일 시키는 거잖아.

그래, 너도 어차피 깨져버릴 삶에 의미를 부여 해야 해.

그래야 깨질 때 아플 테니까.

적어도 나만큼은 아파해야 해. 이연아.

제15화 한걸음 더 빛나게

윤서현

손하은

'띠리리리리링' 매일 들어도 반갑지 않은 알람 소리는 지겹지도 않나, 또다시 나를 깨운다. 인생은 짧지만 월요일은 길다는 말을 들어 본 적이 있는지 모르겠지만, 오늘은 그 인생보다 더 긴 월요일이다. 지옥 같은 월요일이지만 요즘 내가 이 월요일 하루도 행복하게 보낼 수 있는 원동력이 생겼다. 그것은 바로, 아이돌 덕질, 그룹 이름은 이브와이로, 데뷔한지 얼마 안 된 신인 보이그룹 이지만, 웬만한 인기그룹 만큼이나 인기도가 높다. 그룹 멤버 중, 나의 최애 멤버는 하건우, 이브와이의 메인 보컬로 나랑 동갑인데도 불구하고 성숙한 외모에 키까지 커서 나를 포함한 모든 여학생들의 마음을 사로잡고 있는 이브와이의 인기 멤버이다. 생각만 했는데도, 내 입꼬리는 누가 잡고 있는지 내려올 생각을 하지 않는다. 이 정도만 봐도 내가 이브와이를 얼마나 좋아하는지 대충 짐작이 가능할 것 이다.

아무튼, 이런저런 생각들을 하니 벌써 20분이나 지났다. 더 뒤척이다간, 분명 엄마의 불같은 잔소리를 들을 것 이다. 기분 좋은 아침을 불같은 잔소리로 물들이기 전에 얼른 준비해가야겠다.

학교 갈 준비를 하면서도, 학교를 가면서도, 내 이어폰에선 이브와이 노래가 멈출 생각을 하지 않는다. 이브와이의 노래는 수천 번을 들어도 질리지 않는 것 같다. 평소의 등굣길은 지루했지만, 요즘처럼 이브와이와 함께하는 등굣길은 따스한 봄바람과 같았다.

"손하은~~~~!" 나를 정겹게 부르는 이 친구는 자그마치 10년지기 친구인 하예라이다. 예라는 나와 같은 동네에서 태어나 같은 초등학교, 중학교, 그리고 지금의 예그리나 고등학교도 함께 재학중인 흔히 말해 베프(베스트프렌드)이다. 무엇보다도 예라에게 애정이 가는 이유는 나와 같은 이브와이를 좋아하는 친구이기도 하기 때문이다. 예라와 함께하는 하루하루들은 행복했다, 이렇게나 말이 잘 통하고 성격도 잘 맞는 친구는 처음이기 때문이다. 이런 친구가 있다는 것은 나에겐 큰 자랑이었다.

"하은, 이번 신곡 들어봤어?, 이번 노래 완전 좋더라"

"당연히 들었지! 이번 노래가 제일 좋더라"

"나도나도!!"

"우리 점심시간에 노래 같이 들을까?"

"그래!"

예라랑 떠들다 보면 '시간가는 줄 모른다'는 표현이 번뜩 생각난다. 방금처럼 오늘도 어김없이 평화롭게 예라와 대화하던 중이었다.

그러던 중, 갑자기 교실문이 벌컥열리더니 누군가가 소리쳤다. "얘들아! 내일 하건우, 우리학교로 전학온다는데?!" "으에?" 너무 놀란 나머지 소리치는 아이와, 별대수롭지 않게 여기는 친구, 거짓말이라고 믿는 친구, 그리고 이 사실이 믿기지 않아 상황파악이 안되는 친구 등 반응은 다양했다. 사실 이렇게 반응하는 것이 정상적이긴하다. 인기도가 높은 아이돌이 우리 학교로 전학을 와서 함께 학교를 다닌다는 것은 상상조차 힘든 일이기 때문이다. 소문으론 이브와이 멤버중 한명이 전학 온다는 것을 듣긴 했는데 그것이 사실일지는 꿈에도 몰랐다. 전학을 온다는 한 마디는 순식간에 나의 기분을 전환시켰다. 오늘이 월요일이라는 사실도 까맣게 잊은채 내 감정은 설렘으로 가득찼다. 지옥같았던 월요일에 신이 주신 선물같은 느낌이었다.

학원까지 마치고 집에 돌아와, 나는 당장 컴퓨터 앞으로 가 이브와이를 검색하기 시작했다. 그런데 교실문을 벌컥열고 말했던 그 친구의 말이 정말로 사실이었다. 나는 그대로 컴퓨터 앞에 얼어붙고 말았다. 이제는 지옥같은 월요일도 행복할거라는 생각에 상상만 해도 입꼬리가 내려오질 않는다. 오늘은 왜 이렇게 시간이 빨리 가는지 모르겠다. 벌써 11시가 훌쩍 넘었다. 내일 있을 과학 발표는 하나도 준비하지 않았지만 '내일의 내가 알아서 하겠지' 라는 생각으로, 오늘 하루도 수고했다는 생각과 함께 침대로 발길을 돌린다.

'띠리리리리링' 오늘도 어김없이 울리는 알람소리 오늘은 왠지 알람소리가 밉지 않다. 아침부터 설레는 마음으로 어김없이 울리는 알람처럼 등교준비를 한다. 이브와이 노래를 들으며 학교 앞에 다가가자 조용하고 평범했던 고등학교 앞에 엄청나게 많은 사람들이 서있었다. 카메라를 들고 촬영을 준비하는 사람들과, 이브와이를 외치면서 기다리고 있는 사람들은 마치 콘서트에 온 팬들 같았다. 정말 마음같아선 당장이라도 달려가 이브와이를 보고 싶었지만 어제 마저 하지 못했던 과학발표 준비 때문에 수

많은 인파를 뚫고 학교 안으로 들어와야만 했다. 교실안에는 아무 인기척 없이 조용하고, 따스한 바람만 들어올 뿐이었다. 친구들은 다 이브와이를 보러나간 것 같았다. 순간 후회의 느낌이 들었다. '괜히 들어왔나..' 그렇지만, 후회도 잠시, 잊고있었던 과학발표가 문뜩 머릿속을 스쳐지나갔다. 정신을 차리고 아무도 없는 고요한 교실안에서 과학발표 준비를 하기 시작했다.

정신없이 준비하다 보니 어느새 자습시간이 되었다. 아침부터 머리를 쓰니 나의 체력은 바닥이 났고, 흔히 말하는 녹초가 되었다. 담임선생님이 들어오시고, 그 뒤에 한 남학생이 우리학교 교복을 입고 따라 들어왔다. 성숙하고 잘생긴 외모와 큰 키를 가진 남학생은 멀리서 봐도 이브와이의 하건우 였다. 녹초가 된 내 몸은 어느새 활기를 되찾았고, 반친구들은 소리를 지르며, 아침에 고요했던 교실은 어디갔는지 교실도 활기를 되찾았다.

"얘들아 조용히 하자, 자 다들 전학생 온다는 소리는 다들 들었을 것 같고 누군진 다 아니까 소개는 안해도 되겠지?" "빈자리가서 앉아라."

"네"

굵지만 나른한 목소리로 '네' 라는 한마디는 내가 지금까지 살면서 들은 '네' 중에 최고였다. 또한, 이브와이 한명이 전학온다는 대상이 내 최애 멤버인 하건우였고, 심지어는 우리반에 전학을 온 것 이었다. 무슨 소설같은 일 같겠지만 나도 믿기지 않는다. 그리고 우리 반 여학생들의 시선은 전부 하건우에게 꽂혔다.

몇분 후, 자습시간이 끝남을 알리는 종소리와 동시에 하건우 옆엔 나를 포함한 거의 모든 여학생들이 둘러쌓였다. 물론, 다른반 여학생들도 하건우를 구경하려고 몰려들었다. 하건우는 예상이라도 한 듯 대수롭지 않게 여기는 것처럼 보였다. 콘서트도 가지못해 보지 못했던 내 최애 연예인을 같은 학교 같은 반에서 이젠 매일 볼 수 있다는 생각에 행복했다. '이것을 성덕(성공한 덕후)이라고 하는건가..?' 생각만해도 내 입가에는 웃음이 번졌다. 순간 잊고 있었던 과학발표가 생각이 났다. 수행평가 점수는 기말에 반영되기 때문에 잘 봐두어야 한다. 특히나 나는 공부도 잘 못해서 수행평가 점수라도 잘 따놔야 한다. 이런저런 생각들을 하니 어느새 1교시의 시작종이 울렸다. 다른 친구들이 과학수행 발표를 하던 중 나의 시선은 온통 하건우에게로 향했다. '사람이 어떻게 이렇게나 잘생길수가 있나..' '사람이 맞는건가..' 그 순간 갑자기 나의 환상을 깨는 목소리가 들렸다.

"손하은, 뭐가 좋아서 그렇게 웃고있니? 뭐 좋아하는 연예인이라도 봤나보네? 과학발표는 준비했니? 이제 네 차례다 어서 나와"

　반친구들의 시선은 나에게로 향했고, 나는 순간 뜨끔했다. 그리고 그 많은 시선중 하건우와 눈이 마주치고 말았다. 보진 못헸지만 내 얼굴은 이미 빨갛게 물들었을 것이다. 나는 부끄러운 마음을 감추고서 과학 발표 자료를 가지고 앞에 나섰다. 어릴 때부터 다져온 말하기 실력은 나의 과학 발표에서도 드러날 수 있었다. 발표가 끝난후 박수갈채를 받으며 '오늘도 한 건 했다!'라는 뿌듯한 마음으로 자리에 들어갔다.

　"하은, 발표실력은 매일같이 느냐? 진짜 부럽다, 나는 긴장되서 아무말도 못하겠던데...."

　반친구의 한마디는 나를 더 기분좋게 해주었다. 역시 칭찬이 주는 힘은 대단한 것 같다.

　(다음날)
　오늘의 등굣길에도 역시나 많은 사람이 서있었다. 요즘에는 수행평가가 뭐 이리 많은지, 오늘은 또 도덕 수행평가가 있는 날이었다. 나는 많은 인파에 서있는 것 보다, 반에서 조용히 하건우가 오기를 기다리는게 더 현명하다고 생각한 나는, 역시나 오늘도 수행평가를 준비해야 했기 때문에 반에 들어가기로 결정했다. 수많은 사람들을 지나치는 일은 힘들었지만, 어제 느꼈던,

반에 들어오는 따스한 바람의 분위기가 나름 괜찮았다고 생각한다. 반에 들어오자 역시나 따스한 봄바람이 들어오는 나른한 분위기의 교실이 마음에 쏙 들었다. 그러나 한가지 달라진게 있었다. 원래 같았으면 혼자 있어야 하는 교실에 하건우가 있는게 아닌가, 나는 입이 다물어지지 않았다. 나는 빨갛게 물든 얼굴로 그 자리에서 얼어버렸다. 또한 나는 나의 긴장되고 빨갛게 물든 얼굴을 감출수 없었다. 나는 나의 뻘쭘한 얼굴을 더 이상 보여지기 전에 얼른 자리로 가야 겠다는 생각이 들었다. 발길을 돌리던중

"너가 손하은이야?"

나른한 목소리로 하건우가 물었다. 지금 아마 나의 심장 박동수를 재면 150 이상이 나올 것이다. 내가 좋아하는 연예인이 나에게 말을 건다 이게 꿈인가 싶었다.

"어?.. 응.."

나는 대답을 얼버무리고 자리로 돌아가 앉았다. 자리에 앉자마자, 나는 내 얼굴을 숨기기 위해 급하게 수행평가 자료를 꺼내 읽기 시작했다. 자료가 거꾸로 들렸는지 똑바로 들렸는지 구별이 가지 않았다. 좋아하는 연예인과 함께 있어서 그런지, 주변이 후끈후끈한게 느껴졌다. 급하게 나와서 머리끈도 챙겨오지

못해 아마 지금 내 머리는 완전 엉망일 것이다. 수행평가를 준비하면서 나는 힐끗힐끗 하건우를 쳐다보았다. '사람이 어떻게 저렇게 완벽하지'라는 생각은 하건우를 볼때마다 드는 생각이다. 정신없이 수행평가를 준비하니 어느새 예라가 교실문을 열고 들어왔다. 예라도 밖에서 이브와이를 기다리다 온 것으로 보였다.

"야.. 하건우 안오길래 그냥 들어왔어.."

"예라야.. 너 옆에.."

예라 옆에는 예라말곤 모두가 예상했을 하건우가 있었다. 예라의 입도 다물어지지 않았다. "

헐.. 하건우? 나 너 보려다 들어왔는데.. 어제 사람많이 몰려서 너 못봤거든.."

예라는 신난 목소리로 하건우에게 말을 이어갔다. 나도 내심 예라처럼 말을 걸어보고 싶었는데, 급한 수행평가와 감출수 없는 붉은색 얼굴 때문에 이야기 할수 없었다. 나는 다음을 기약하기로 하고 예라랑 대화를 하려고 다가가던 중 이었다.

"예라야~ 그 이번 도덕수행평가..."

"어 하은아 잠깐만, 그래서 너는 뭐 좋아해..?"

예라는 내 말을 듣는둥 마는둥 하며, 하건우와의 대화를 이어갔다. 예라에게 걸었던 내 말이 좀 무안해졌지만, 나와 같은 이브와이 팬으로써 예라의 마음을 잘 알기 때문에 가볍게 넘겨야 겠다는 생각이 들었다. 그래도 항상 나와 아침에 대화하며 우정을 쌓았던 예라가 아까와 같은 행동을 하니 내심 서운했다. 어김없이 도덕 수행평가가 진행되고, 내 발표차례가 되자 나는 능숙하게 발표를 시작했다. 이쯤되면 내가 왜 자꾸 발표를 강조하는지 의문이 들 것이다.

사실 나의 꿈은 수어통역사이다. 사람들의 언어를 통역해주기 위해선 사람들 앞에서의 부끄러움이 없어야 한다고 생각했다. 그래서 어릴때부터 꾸준히 발표하는 연습을 하고, 수어도 열심히 배우는 중이다. 내가 수어통역사 라는 꿈을 가지게 된 계기는 내가 중학생 때의 친구 때문이다. 그 친구는 농인이었다. 농인인데도 불구하고 그 친구는 어떤 상황에 처해있어도, 긍정적으로 살기위해 노력했다. 흔히 말하는 '우리와 다른 세계'에서 살고 있더라도 끈기를 놓치지 않았고, 모두에게 친절했던 아이이다. 그 친구와는 어릴 때부터 친했어서 더욱더 내가 신뢰가 갔던 아이이다. 어릴 때는 가지고 놀았던 로봇이 부서졌을 때, 울기만 하고 있었던 나에게 그 친구는 말없이 다가와 로봇을 고쳐주는 것을 도와주었다. 처음에는 말을 하지 않는 그 친구가 의아했지만, 점점 그 친구와 친해지면서 사정을 알게 되고, 나 또한 도와주려고 애를 썼다. 그리고는, 중학생 때까지, 나는 잘 하지도 못하는 수어를 연습하며 그 친구와 마음을 공유하고 있었다. 그런 고마운 친구를 위해 나는 꼭 수어통역사가 되리라는 마음을 가지고 있었다. 그런데, 어느날, 갑작스럽게 그 친구가 교통사고를 당하여 세상을 떠났다는 소식을 들었다. 내가 그 때 얼마나 울었는지는 짐작조차 하기 힘들 것 이다. 아직도 그 친구를 떠올리면 가슴이 저려오지만 내가 그 친구 때문에 속상해하고, 울고있는 것을 그 친구도 원하지 않을 것 이라 생각한다. 그리곤, 지금까지 수어통역사라는 꿈을 가져 오면서 세상과 멀어져있는 사람들을 이어주려는 노력을 하고 있는 중 이다.

무사히 오늘의 도덕 수행평가를 마치고 친구들의 박수를 받으며, 선생님이 "손하은, 제법인데?"라는 말을 함께 들으며 당당하게 자리로 들어갔다.

그날 저녁, 이브와이 노래를 들으며 숙제를 하던중 오늘 학교에서 도덕 수행평가 때문에 이야기 하지 못했던 한이 있었는지, 머리속에서 떠나질 않았다. '말이라도 걸어볼걸.. ' 후회가 들었다. 후회라도 좀 풀어보고자 재빨리 폰을 꺼내 하건우에 대한 것을 찾아보았다. 나의 타자 몇번을 통해 나는 이브와이에 대해 많이 알아가고 있었다. 오로지 같은 반 친구가 아닌 이브와이의 팬으로서...

(그 다음날)

오늘 교실에 가면 하건우가 있을까, 확실하진 않지만 설레는 느낌을 가지고, 교실에 들어서니 역시나 따스한 바람만 들어올 뿐이었다. '정말 기회는 어제 뿐이었나..' 또다시 후회가 들기 시작했다. 어차피 나 밖에 없는김에 나는 수어 공부를 하기 시작했다. 일부의 사람들만 쓰는 언어였지만, 그 언어의 표현은 일반 사람들과 다르게 없었다. 수화도 하나의 언어이니까, 나에게 수화는 아름다웠다. '드르륵' 문이 열리고 하건우가 들어왔다. 열심히 수화를 공부하던중, 하건우와 눈이 마주쳤다. 나는 아무렇지 않은척 수어 공부를 이어나갔다. 나는 내 손이 어떻게 되는지는 모르겠고, 온통 신경은 하건우에게 쏠리었다. 그 순간 '꼬르르륵' 소리가 고요한 교실에 울려퍼졌다. 오늘 아침을 먹고 오지 않았더니 배에서 알람이 울리기 시작했다. 고요한 교실에 울려퍼진 나의 알람소리는 너무나도 부끄러웠다. 분명 하건우도 들었을텐데 말이다.. 그때 하건우가 나에게 터벅터벅 걸어오고는 내 책상에 초코바를 하나 나두어주었다. 나는 영문을 모른 채, 어리둥절하며 볼이 빨개졌다. 어느순간 손으로 표현하던 수화는 멈춰버렸다.

"이거 왜 나줘..?, 너 먹지."

떨리는 목소리로 말했다. " 1+1이라서 주는거야, 체중 관리 해야하는데 눈앞에 있으면 먹고 싶어지잖아."

"아.. 그렇구나, 고마워"

(아직 이브와이의 컴백기간이 아닌데 이렇게 말하는 것을 보면, 체중 관리는 거짓말 이었던 것 같다.) 무튼, 이렇게 말해도 심장은 터질 것 같았다. 그러곤 하건우는

"너가 정말 손하은이지?"

라고 물었다.

"어..! 근데 어떻게 알았어? "

"발표수행할 때 들었어, 발표 잘하더라." 최애와의 대화는 좋았다, 꿈만 같았다."

"나 좀 도와줄래?" 하건우가 물었다.

"어..? 뭘..?" 내가 당황하며 물었다.

"내가 누군진 알지?" "응..!" '당연히 알지 내 최애인데..'

난 차마 속마음 이야기를 할 수 없었다. 하건우가 사뭇 진지해 보였기 때문이다.

" 나 너한테만 말하는 건데 사실 나 무대공포증이 있거든, 무대 올라가려고만 하면 심장이 떨리고 머리가 아파와, 그런데 너는 아무렇지 않게 학생들앞에서 발표를 하니까 부러웠어. 그래서 도와줄 수 있나 해서 물어본거야."

"아.. 그렇구나.."

사실 난 하건우가 무대에서 항상 멋있는 모습만 보여주길래, 이러한 고민을 가지고 있는줄 모르고 있었다. 그때서야 나는 아이돌도 완벽한 존재가 아닌 우리와 같은 사람이고 힘들어하는 부분이 있다는 것을 깨달았다. 고민도 잠시 나는

"그래, 내가 도와줄게, 너가 어떤사정이 있는지 자세하겐 모르지만, 내가 도와줄수 있는 선에선 도와줄게!"

나는 단지 팬으로써가 아닌 같은반 친구로써 도움을 주고 싶었다. 하건우는 고맙다며 나에게 자신의 전화번호를 가르쳐 주었다. 비록 같은 학교에 다닌지 많이 되지 않았지만, 내가 알고 있던 하건우는 차가웠었다. 그러나 오늘 만큼은 더 없이 따

뜻한 친구였다. 그렇게 오늘부터 나는 하건우를 도와주기로 결정했다. "손하은!" 언제 왔는지 모를 예라가 내 이름을 불렀다. 하건우와 대화하느라 언제 예라가 왔는지도 모르고 있었다. 하건우는 급하게 자기 자리로 향했고, 나도 아무렇지 않게 예라와 대화를 하려고 했다. 그때였다. 예라가 "뭐야..? 둘이 무슨 이야기 했어? 나도 가르쳐 줘!!"

"아.. 아니야! 아무것도, 아 예라야 있잖아.."

나는 급하게 예라를 다른 말로 둘러대기 시작했다. 충분히 어색한 것을 알지만 예라는 이해해줄 것 이라 믿는다.

하건우

나는 하건우다. 지혜와 용기가 있는 강인한 사람이라는 뜻으로 엄마가 지어주셨다. 나는 유명한 보이그룹, 이브와이의 막내이자 메인보컬이다. 나는 전혀 아이돌에 재능이 없었다고 생각했는데, 어쩌다보니 길거리캐스팅을 당해 회사에 들어오게 되었고, 현재 이브와이의 멤버로 아이돌 생활을 하고 있다. 회사 대표님은 아이돌도 어느 정도의 공부도 필요하다고 하시며, 고등학교에 들어가시는 것을 추천해주셨다, 그래서 예그리나 고등학교에 다니게 된 것이다. 어느정도 학교앞에 사람들이 서 있을 것이라고 예상을 했는데, 이렇게나 오래 지속될줄은 몰랐다. 이젠 조금 지치기도 한다. 이런 관심들이 부담스럽게 느껴지기도 했다. 그래서 지금까지 학교도 일찍와서 교실에 조용히 앉아 있었던 것 이었다. 그런데, 내가 학교에 일찍 올 때마다 눈에 밟히는 아이가 있었다. 그 친구는 손하은이고, 발표수행평가에서 능숙하게 발표를 마치는 모습을 보며 멋있다는 생각이 들었던 아이이다. 처음엔 그냥 열심히 하는 아이구나 라고 생각했는데, 선생님께서도 인정할 만큼 대단한 발표실력을 지니고 있었다. 나는 아이돌이라는 직업을 가지고 있음에도 불구하고 무대공포증을 가지고 있었기 때문에 더욱 더 손하은에게 관심이 가기 시작했다. 나는 항상 수많은 무대에 들어가기 전에, 청심환을 입에 털고 무대에 오르는 날들이 수없이 많았다. 이럴때마다 나는 지쳐갔다. 인기많은 보이그룹이 무대공포증.. 정말 생소할수도 있다. 그래서 더욱 더 얘기 못했다. 가끔은 이런 내가 정말 싫기도 하고, 아무것도 하기 싫은 감정을 느끼는 날들이 점점더 늘고 있었다. 그래서 나의 고민을 '손하은은 도와줄 수 있지 않을까' 라는 생각으로 물어보았다. 손하은은 내가 아이돌이라는 직업을 알고 있을텐데도 불구하고, 나를 친구처럼 편하게 대해주었다. 항상 나만보면 달려드는 사람들 때문에, 쉽사리 말도 못걸고 속으로 앓아야 했었는데, 손하은은 달랐다. 이때부터이다, 내가 무대공포증을 없앨 수 있었던 계기..

(다음날)
손하은

오늘도 여전히 교실안엔 따스한 봄바람과 하건우가 있었다. 나는 가볍게 인사를 하고 내 자리로 돌아간 다음 하건우에게 걸어갔다. 그러곤, 내가 중학생일 때 친구를 잃어버리고 마음고생하며 읽었던 책을 하건우에게 내밀었다. "다른 사람 앞에서나 무대에서 공포를 느끼지 않으려면, 충분히 진정이 되고 안정된 상태여야 해. 그때가 되면 제대로 가르쳐줄게." 그리곤 나는 작은 초콜릿 몇 개를 꺼내어 하건우에게 내밀었다. "달달한 초콜릿도 기분은 풀어주는데 좋아, 아마 도움이 될거야" 무지 떨렸다. 하건우는 내가 좋아하는 아이돌이기도 하지만 이때만큼은 도움을 주고 싶은 친구였다. 나는 계속해서 하건우를 도울 방법을 설명하고 있었다. 이제 몇 번 얘기 했다고 우리는 벌써 장난을 칠 수 있는 사이가 되어있었다. 그때였다, '찰칵' 어디선가 카메라 셔터 소리가 들렸다. 나와 하건우는 조금 놀랐지만, 아무렇지 않게 넘어갔다. 나는 집으로 돌아와도 내 머릿속은 하건우로 가득찼다. 나는 본격적으로 하건우를 도울 방법을 찾아보았다. 내 떨리는 마음은 하건우가 알지 모르겠지만, 지금은 오직 친구라는 생각으로 하건우를 대해야겠다고 마음먹었다.

 (또 다음날)
 평화롭게 아침을 맞이했다고 생각했다. 그런데 갑자기 평소에 조용하던 폰이 오늘은 왜이렇게 요란한 것인지.. 벌써 피곤했다. 그런데 폰을 확인하는 순간, 나는 경악을 금치 않을수 없었다. 예라에게선 카톡이 오며 난리가 났고, 디엠으론 나를 향한 비판

들이 수없이 많이 쏟아졌다. 이게 무슨 일인가 하고 기사를 살펴보았다. 어제 하건우를 도와주겠다고 한 나의 모습이 하건우와 같이 담겨 연애설이 났다. 기사에는 '신인 보이그룹 하건우, 일반인과 연애'라는 제목이 써져있었다. 신인에게 연애설은 정말 최악의 상황이다. 나는 어쩔 줄 몰랐다. 그때, 어제의 '찰칵'하는 카메라 셔터 소리가 생각이 났다. 그때 찍힌 것 같다. 나는 당황스러움과 떨리는 손으로 예라의 카톡방에 들어가 한글자 한글자 떨리는 손으로 메시지를 보냈다. 예라의 카톡에는

' 하은아, 이거 정말 너야?, 아니지?'

라고 와있었다. 나는 내가 맞았지만, 차마 말할수 없었다. 그렇지만 제일 친한 친구인 예라에게는 말해야 겠다는 생각을 하며, '그.. 예라야 너가 어떻게 생각할진 모르겠지만, 이거 나 맞아.. 근데 이거 다 허위사실이야..!' 라고 보냈다. 몇분 후 예라의 답장은 '아.. 그래?, 너 많이 당황스럽겠다. 오늘 학교 조심히 와, 아님 내가 데리러 갈까?' 예라는 예상밖의 반응 이었다. 나는 예라가 나에게 정말 많이 실망할 줄 알았는데 예라는 달랐다.

'아니야, 나 혼자 갈수 있어, 걱정해줘서 고마워!'

나는 나를 찾아오는 사람들이 많을까봐, 더욱 더 일찍 학교를

갔다. 다행히 나를 찾아오는 사람은 없었지만, 반 여자아이들이 나를 보는 눈빛들이 따가웠다. 그러곤 흔히 말하는 왕따가 되어 있었다. 말을 걸어도 무시하고, 나를 투명인간 취급을 했다. 사실이 아닌데도 불구하고, 내가 이런 취급을 당해야 한다는 생각을 하니 울분이 목 끝까지 차올랐다, 하지만, 내가 할수 있는 건 아무것도 없었다. 그것에 대한 사실에 나는 더욱더 속상했다. 갑자기 떠올랐다, 오늘 뭔가 허전했다. 분명히.. 곰곰이 생각을 하니 오늘 하건우가 학교를 나오지 않았다는 것을 알고 나는 걱정되기 시작했다. 분명 힘들텐데.. 친구로서 이브와이 팬으로써 하건우에게 아무것도 해줄 수 없다는 사실을 아니 너무 가슴 아팠다. 나는 오늘 한숨만 푹푹쉬며, 목이 막힌채로 학교의 거의 모든 친구들의 따가운 눈초리를 받으며 집으로 향했다. 집으로 곧장 향하자마자, 엄마가 나를 불러 세웠다.

"손하은, 이거 너야?"

엄마는 논란의 사진을 나에게 보여주며 말했다. 나는 그동안 참아왔던 눈물을 엄마 앞에서 쏟아냈다. 왜 사실이 아닌데 이런 취급을 받아야 하는지 나는 이해가 되지 않았다. 엄마는 침착하게 나를 일으켜 세우고, 나를 안아주었다. 엄마의 반응에 더 눈물이 나왔다. 엄마는 그런 나를 믿어주시고 다독여주셨다. 그렇게 몇분을 더 울고 엄마에게 사정을 설명하며, 아무한테도 얘기하지 말라며 엄마에게 당부했다. 그리고 팅팅부은 눈을 닦으며,

하건우에게 메시지를 보냈다. 나도 물론 힘들지만 지금 가장 힘든건 하건우라고 생각했다. 하건우는 역시나 읽지 않았다. 나는 점점 더 불안해 졌다. 하건우가 혹여나 나쁜생각을 하는 건 아닌지, 많이 아파하는지, 수없이 많은 경우의 수를 생각했다.

그날 저녁, 하건우와 나의 거짓 연애설은 더 멀리 퍼졌고, 추가 기사로 '하건우, 어린나이에 아빠되다.' 와 같은 정말 말도 안되는 기사들이 인터넷창을 섭렵하고 있었다. 하건우의 팬들은, '하건우 실망이다', '신인에 뭐하는 짓이냐', '정 떨어졌다' 등 하건우에 대한 안좋은 얘기와 심지어는 우리 학교를 비난하는 글도 있었다. 나는 일반인이고, 사람들에게 알려져 있는 사람도 아니라서, 나를 욕하면 기분만 나빠지겠지만, 하건우를 욕하는 것은 참을 수 없었다. 그래서 나는 그날 사진을 찍은 사람을 찾기로 했다.

하건우
이제는 내가 이 학교에 온 지 시간이 꽤 지나서, 이제는 날 보러 오는 외부 사람도 많이 없었다. 마음이 편했다. 지금은 나를 도와주는 사람까지 생겼다. 나도 이제 평범한 생활을 할 수 있을거 라고 기대했는데, 기대는 커녕, 어제 '찰칵'이라는 작은 소리 하나로 거짓 연애설 기사가 터져버렸다. 신인아이돌이라서 조심해야 했는데 왜 나는 지나버린 후에야 알아버렸을까, 디엠으론 나를 욕하는 메시지들과 카톡으론, 멤버들과 손하은에게 와있었다. 그것들을 읽기엔 너무 두려웠다. 또, 너무 미안했다.

　데뷔하기전, 나는 꼭 피해를 주지않고 나 자체로 빛나는 사람이 되기로 마음 먹었었는데 한순간에 거품처럼 사라져버렸다.

　손하은

　기사가 난지 며칠이 지나도, 좀처럼 식지 않았다. 며칠이 지나도 하건우는 학교에 나오지 않았다. 나는 학교에서 투명인간 취급을 당해도 그 사진을 찍은 사람을 찾아야만 했다. 하지만 경우의 수는 너무나도 많았고, 그 많고 많은 사람들을 추려내기에도 시간이 너무 오래걸릴 것 같았다. 그래서 내 오랜 친구인 예라에게 도움을 요청해보려 했다. 지금은 나의 사정을 유일하게 이해해주는 사람은 예라 뿐이었다.

　"예라야, 나 좀 도와줘." 사뭇 진지하게 말을 걸었다.

　"무슨일 있어?"

　"나 그 허위기사 만든 사람 찾을거야."

　"어...어?"　예라는 잠시 당황한 듯 보였다.

　"누가 그 허위기사를 만들었는지 모르겠지만, 그 기사가 사실이 아니라는 것을 밝혀야지!"

"어떻게.. 찾을건데?, 그리고 그 수많은 사람들중 언제 찾을려고, 못찾을 것 같은데.. 그냥 넘기면 안돼?"

"뭐?"

"좀있으면 기사도 잠잠해질 것 같고, 찾는다 해서 감옥에 들어가는 것 도 아니고, 너만 피곤해 질 것 같은데.."

"예라야, 이건 나의 문제이기도 하지만, 하건우의 문제이기도 해."

"하건우랑 나랑 무슨상관인데?, 난 이번에 못 도와줄 것 같아, 너무 현실성이 없어."

"예라야, 이거 아닌거 알잖아.."

예라는 마지막 나의 말을 무시한채 돌아섰다. 난 어려운 상황에 처하면 예라가 나를 도와줄 수 있을줄 알았다. 예라의 차가운 반응은 나의 마음도 차갑게 만들었다. 이제는 정말 막막했다.

하예라

　나는 하은이의 오랜친구 하예라이다. 하은이와 같이 이브와이를 좋아하고 있는 덕질 친구이기도 하다. 어릴때는 같이 등교도 하고 거의 모든 시간을 함께 보냈는데, 고등학생이 된 이후부터는 각자의 시간을 보내는 날들이 더 많아졌다. 그러던 어느날, 하은이의 최애 멤버이기도 했지만, 나의 최애 멤버이기도 했던 하건우가 우리 학교로 전학온다는 소식을 들었을 때 너무 놀라고 설레었다. 그리곤 '전학오면 꼭 말을 걸어야지' 라는 생각으로 가득했다. 그런데, 나처럼 생각하는 사람들이 너무 많았다. 하건우가 전학을 왔음에도 불구하고 학교에서는 하건우를 보기 위해 많은 사람들이 몰려들었다. 필요했던 수행평가는 오늘을 위해 어제 마무리를 했지만, 아무리 기다려도 하건우는 오지 않았다. 결국 포기하고 반에 들어왔는데, 하건우가 있었다. 너무 반가운 나머지 하건우에게 무작정 말을 걸었다. 처음에 하건우는 내 말을 들어주듯 했지만, 점차 시간이 지나니 점점 흥미를 잃은 듯 보였다. 옛말에 열 번 찍어 안 넘어가는 나무 없다고 했다. 나는 하건우가 나에게 관심을 줄때까지 이야기를 걸어보기로 했다. 디엠도 해보고, 학교에 일찍 와 말도 걸었다. 결국 나의 노력에 비해 돌아오는 것은 없었다. 돌아온 것이라곤, 무관심이었다. 어느날 평소처럼 학교에 일찍 갔다. 내가 계속 말걸어도 무시했던 하건우가 하은이와 같이 있었을 때 180도 달라진 모습에 너무 배신감이 느껴졌다. 둘이서 깔깔거리는 모습을 보니 속에서 불이 나는 것 같았다. 친한 친구로서 이런 마음 느끼면 안되는 것을 충분히 알았지만, 목끝까지 차오른 나의 질투심을 참지 못 했다.

손하은

막막한 마음을 뒤로한채 산책을 하러 밖에 나왔다. 며칠이 지나도 범인은 나오지 않았다. 길을 걷다보니 눈에 벌레가 들어갔는지 눈물이 흘렀다. 눈물이 앞을 가렸지만, 앞에 한사람이 서 있는 것이 똑똑히 보였다. 자세히 가보니 예라였다. 반가운 마음에 예라를 불렀다.

"어? 예....라" 그때였다. "

아 그래, 손하은 걔 아무것도 모른다니까? 멍청하게 내가 범인 찾는거 안 도와 준다고 하니까 자기도 포기 해버린거 있지? 하, 걔가 무슨 수로 범인을 잡겠다고" 예라가 통화하는 상황을 들어버렸다. 오랫동안 의지해왔던 친구라 유일하게 믿고 따랐는데 내 뒷통수를 칠 줄 상상이나 했겠나, 이미 있던 정은 다 떨어 졌으니 이왕 이렇게 된거 한번 질러보기로 마음먹었다.

"야, 하예라"

"어? 여기서 만나네? 반갑다~" 예라는 아무것도 모르는 눈치였다.

" 너 방금 통화했던 내용 그대로 다시 말해봐"

"뭐라고?"

"나 들었어. 니가 무슨말을 했는지 내 앞에서 다시 말해보라고!"나도 모르게 언성이 높아졌다.

"하은아, 갑자기 왜그래? 잘못들은거 아니야? 내가 너 얘기할게 뭐 있다고." 예라가 발뺌했다.

"난 내 얘기라고 한 적 없는데?" 허점을 잡았다. 예라의 대화에선 나는 예라가 나의 얘기를 했다는 것을 말하지 않았다.

그때서야 예라는 헛웃음을 치며
"하.. 들켰네, 야, 니가 멍청한 거잖아, 너야말로 사귈거면 들키지를 말던가"

"너 사실 아닌거 알았잖아."

"내가 너의 한마디한마디를 다 기억해야 하니?, 너도 너무한다."

예라는 반성의 기미는커녕 사과한마디 조차 하지 않고 적반하장으로 나왔다. 그러곤

"야 손하은, 우리 같이 하건우 좋아했으면, 하건우도 우리 둘 다 좋아해야지, 아니야? 왜 걔는 너만 좋아하고 너한테만 웃어주고 그러는데? 너도 그러길 바랬던 것 아니야? 아~ 잘됐네 이참에 그냥 모든 사람들한테 무시당하고 살아. 그게 너희 운명이겠지. 하건우도 좋겠네, 너같은 사람 만나서?"

속이 부글부글 끓어올랐다. 믿는 도끼에 발등 찍힌다더니 사실이었다. 반박을 하려고 이야기 하려던 참이었다. 갑자기 큰 키를 가진 사람이 나타나 말을 했다.

"그러게, 하건우는 좋겠다. 너라는 사람이 악질이었다는걸 알아서"

굵지하지만 나른한 목소리를 가진 그 사람은 하건우였다. 나는 놀랐지만 이 순간 만큼은 가라앉히기로 마음 먹었다.

"야, 하예라 너가 이러면 내가 좋아해주는 줄 아나본데, 이러는거 진짜 아닌거 알지. 진짜 매일 스토커처럼 따라다니고, 연락하고, 그러면 너 아무도 안좋아해 알아? 너, 내가 너 때문에 더 스트레스 받는건 알고있었어?"

"손하은 가자"

큰 손은 나의 팔을 잡고 어디론가 데려 갔다. 하건우가 얘기한 다음 예라의 벙쪄있는 모습은 처음보았다. 잠시 벤치에 앉아, 하건우와 얘기를 했다.

"어떻게 된거야?" 내가 물었다.

"마음정리 좀 할 겸 잠시 산책하러 나왔다가, 너가 있길래 가봤더니 둘이 이야기하고 있어서.."

사실은 이랬다. 하건우가 처음 하예라를 만났던 그 날부터 하예라는 하건우에게 집착하고 있었던 것이다. 내 말을 무시하고 하건우에게 말했던 날들도 전부 하건우에게 대한 집착들이었다. 사실을 알고나니 예라가 그동안 어떤일을 했는지 '예라'라는 사람이 어떤 성격을 가졌는지 전부 알수 있었다. 아마 나와 하건우가 붙어 있던게 질투가 났던 모양이다. 예라한테는 믿었던 만큼 실망도 너무 컸다. 어느샌가 나도 모르게 눈에서 눈물이 한방울 떨어졌다. 무언가를 잃은 기분은 말로 설명하기도 힘들다.

하건우는 나에게 작은 초콜릿 몇 개를 주며 조심히 말을 걸었다. "초콜릿 먹으면 기분이 풀어진대."

피식 웃음이 새어 나왔다.

"결국 범인은 잡혔네.. 가장 가까운 사람이었는데 왜 몰랐을
까.., 왜 그렇게까지 열심히 했을까." 나는 나의 속마음을 천천
히 털어놓기 시작했다.

"그래도 너 덕분에 범인 꽤 빨리 잡을수 있었던 것 같은데?"

"자기가 자신 무덤 판거지 뭐..."

하건우가 계속해서 말을 이어갔다.

"나 사실 말 안했지만 너무 힘들었어, 안그래도 평소에 아이
돌이라는 직업이 부담스럽고 힘들어서 그만 두려고 해도, 나를
좋아해주는 사람이 많다 보니 쉽사리 그만두기도 어렵더라. 그
때마다 내 옆에 힘이 되주고 나를 색안경 끼고 보지 않았던건
너가 처음이었어, 고마워, 나와 같이 이 순간을 이겨 내줘서."

지금의 하건우는 내가 처음 봤던 하건우와는 정반대였다. 좀
처럼 시크하고 차가운애 인줄 알았건만, 따뜻하고 다정한 아이
였다.

"사실 나 이브와이 광팬이야!"

하건우가 놀란눈으로 쳐다 봤다.

"나 학교올때도 이브와이 노래 듣고, 집가서도 찾아보고, 이브와이에서 내 최애멤버는 너였어."

"그럼 왜 지금까지 티내지 않았던 거야?"

"너를 팬으로서 좋아하기 보다, 친구로서 먼저 다가가고 싶었어."

지금까지 이야기 하지 못했던 나의 간절하고 큰 속마음을 털어놓았다. 그때, 하건우의 큰 손이 나를 감싸 안았다. 그대로 나는 얼어붙었다. 10초가 지날 무렵 나른한 목소리가 나의 고막을 통해 들어왔다. "하예라 말이 맞았네, 너라는 사람이랑 만나게 돼서 좋았던거" 심장이 너무 빨리 뛰었다. 그냥 너무 행복했다. 자신도 힘들었지만 나를 오히려 위로해주고 감싸 안아주는 부분에서 나는 하건우라는 사람이 어떤사람인지 알 수 있었다. 우리를 밝게 비춰주는 달빛과 내 주머니속에 들어있는 작은 초콜릿들은 우리를 더 달달하게 만들어 주었다. 이순간 만큼은 나와 하건우가 가장 빛났다.

4년후

손하은

나는 끝내 나의 잃어버린 친구와의 약속을 지켰다. 지금은 복지대학교 에서 한국수어교원과로 진학하여 열심히 꿈을 향해 달려가고 있다. 예라는 고등학교 때 그 사건 이후로 한번도 만난 적이 없다. 그래도 지금은 그런 친구보단 대학교에서 만난 좋은 친구들과 함께 행복한 대학 생활을 보내는 중이다. 아 그래서 하건우와는 어떻게 됐냐고?

"하은아~!"

저기 온다. 하건우는 그 사건이후로 많이 힘들었지만 잘 극복하고, 기사도 사실이 아니라는 것을 알리며, 완벽히 누명을 벗은 채 무대 공포증도 이겨내어 더욱 더 성장한 아이돌이 되었다. 그리고 지금 나의 자랑스러운 남자친구이기도 하다. 이제는 사람들도 하건우가 연애 하는 것에 대해 크게 신경 쓰지 않는 듯한 눈치였다. 짧지만 힘들고 좌절하고 이겨내며 성장하는 계기가 되었던 우리의 고등학교 시절은 이젠 마음 한편의 추억이 되어 들어갔지만, 지금의 내가 빛날 수 있었던 나의 고등학교 생활에 나는 후회 없다. 이제는 한 걸음 더 빛나면 된다.

제16화 그날의 흔적

이지윤

    나는 자정이 가까워지는 시간까지 컴퓨터 앞에 앉아 일을 하고 있었다. 내 일은 의뢰에 따라 개인이 원하지 않는 인터넷 게시물, 사진, 영상 등을 분석하고 삭제를 요청하고 삭제여부를 모니터링하는 것이다. 디지털 장의사로서.

    이 일을 시작한지도 어언 3년이 되어간다. 그간 의뢰를 잘 수행해 뿌듯했던 적이 더 많았지만, 이미 손쓰기에는 의뢰인이 삭제를 원했던 것들이 인터넷 상에 너무 빠르게 퍼진 상태라 힘들었던 적도 많았다.

그리고 얼마 전 어느 의뢰인이 마음의 고통을 견디지 못하고 극단적 선택을 했다. 데이트 폭력 및 성착취물 유포로 고통받던 20대 후반의 여성 의뢰자였다.

내가 조금 더 열심히해서, 조금 더 잘해서 그 분을 살릴 수 있었더라면 얼마나 좋았을까 그 여성분을 죽음으로 내몬 자들중엔 인터넷 상의 악마들말고도 무능한 나도 포함되어있지 않을까 하는 생각에 밤에 잠을 잘 수가 없다.

이런 심리상태로는 다른 의뢰들도 제대로 수행할 수 없을지 모른다. 결국 이 일을 그만두고 다른 직업을 찾으려한다. 지금 들어와 있는 의뢰까지만 완료하고 나면 3년간 함께했던 이 사무소도 떠나려한다. 이 결심은 아직 아무에게도 말하지 않았다. 사무소 동료들이 무책임하게 도망치는거냐고 질타하더라도 그게 맞을테니 어쩔 수 없다.

끼익-

갑자기 문이 열리고 컴퓨터 모니터 빛만이 어둠을 밝히던 내 방에 바깥의 LED등 불빛이 새어들어 왔다. 여태껏 인기척은 못 느꼈는데. 이 시간까지 퇴근을 안하고 있진 않았을거다. 아마 어떤 이유로 사무실로 다시 돌아온 누군가겠지.

들어온 사람은 나보다 1년 이 일을 먼저 시작한 선배 '다지타'로 사무실 동료 중 나와 가장 가깝고 친한자다. 사무실 방을 같이 쓰기도 한다.

"노크도 없이 뭡니까"

물론 편하게 반말을 쓰거나하진 않는다.

"네 방이기도 하지만 내 방이기도 하거든? 중요한 서류를 두고 갔어."

"중요한 서류라면 여자친구분에게 줄 목걸이요?"

"....그건 또 언제봤냐"

"아까 일은 안하시고 목걸이 보면서 멍때리고 계시길래."

"멍때리다니, 나는 우리 리타와의 행복한 미래를 꿈꾸고 있었다고."

"행복한 미래를 꿈꾸실려면 이제 그만 반지를 선물하실때도 됐지 않습니까."

"……"

"어휴, 됐습니다. 남의 연애에 참견하는 거 아니라고 지켜보는 제가 더 답답하네요."

"답답한 건 나다. 나랑 이렇게 농담 주고 받으면서도 죽은 그 의뢰인 생각하고 있었지? …네 잘못 아니야, 라이미언."

속을 다 들킨 것 같아 잠시 얼었다.

"선배도…겪어보셨습니까."

"그리 좋은 경험이 아님에도 다들 겪어. 아니, 아주 끔찍한 경험임에도…."

나도 다지타도 침묵했다.

"……퇴근하자. 늦었다."

바깥으로 나오니 점점 더워지는 날씨에 전보다 따뜻해진 밤 공기가 볼을 스치고 지나갔다. 사무실에서 집까지는 걸을만한 거리라 거의 걸어다닌다. 오늘은 다지타가 차를 태워주겠다고 했으나 좀 걷고 싶어서 거절했다.

사무실 근처는 꽤 번화가라 밤에도 빛을 내는 빌딩들이 길을 둘러싸고 있다. 평소보다 조금 천천히 걸으며 익숙한 골목길로 접어들었다.

늦은 밤에 길을 걷고 있으려니 생각이 깊어진다. 얼마 전 자살한 의뢰인은...이름 최지예. 나이 28세. 직업은 공예가. 작업방에서 목을 맨 채 발견. 최초 발견자는 작업방이 있는 건물의 경비원으로 평소 일찍 문을 닫던 작업방에 늦은 시간까지 불이 켜져 있는데 인기척이 없고 문이 살짝 열려있는 것을 보고 다가갔다고 함.

특이점은...머리카락 끝에 마감제가 발라져 있었다는 점. 당시 작업복을 입고 있지도 않았으며 작업도구들은 깨끗히 정리된 상태였고 시신의 다른 곳에는 전혀 마감제가 묻어 있지 않았다고 한다. 경찰들은 이 부분을 미심쩍게 생각하지 않는 모양이지만....내가 생각하기에는 그 부분만큼은 조금 의아하긴했다. 자살하려고 마음 먹은 사람이 굳이 자신의 머리카락에 마감제를 바른다니. 의도가 뭐였던 걸까. 자신의 삶은 여기서 마감하겠다는 뜻으로 평소 일하며 자주 접한 마감제를 바른걸까? 자살하고 싶을만큼 힘든 사람이 일종의 말장난 같이 마감제를 바를 생각을 할 수 있었을까. 무슨 전하고 싶은 뜻이라도 있었을까.

집에 도착하니 익숙한 집의 분위기가 덮쳐온다. 이 집엔 나 혼자 살지만 그래도 집에 들어올 때, 나갈 때 마다 꼬박꼬박 인사는 했다.

"다녀왔습니다..."

고향에서 요양 중이신 부모님에게 이 인사가 닿을 수 있길 바라며.

나에게는 누나가 있었다. 내가 고등학교 1학년 일 때 대학생 이던 누나는 실종되었다. 명문대에 갓 입학해 OT를 갔던 누나 는 다음 날 돌아오지 못했다. 부모님은 누나를 애타게 찾아 헤 매셨다. 그러다 두분 다 건강이 급격히 나빠지셨고 지금은 공기 가 깨끗한 시골마을에서 요양 중이시다.

나는 누나와 꽤 사이가 좋은 편이었다. 내 인생에서 누나가 차지하는 비중은 컸다. 내가 태어나서부터 당연하단 듯이 있었 던 혈육. 나는 내 뿌리 깊은 곳에서부터 얽혀있었던 누나와 그 렇게 헤어질 줄 몰랐다. 누나가 사라지고 내 뿌리도 많이 흔들 렸다. 누나는...실종이라지만 아마 죽었겠지. 어디에선가 기억을 잃고라도 살아있길 바라고 또 바란다.

다음 주가 부모님을 뵈러 가는 날이다. 한 달에 한번 고향에 내려가 부모님을 만나고 온다. 부모님은 뵐 때 마다 나를 반갑게 맞아주시고 걱정도 많이 하신다. 딸이 실종되고 10년이 넘었는데 아들까지 잃으면 어쩌나 늘 걱정이 많으시다. 당연한거지만 그럴 때마다 마음이 저려오더라.

이런 저런 생각을 하다보니 밤이 깊어갔다.

다음날. 나는 일상에 몸을 맡기고 오늘도 사무실로 걸어간다. 컴퓨터를 켜고 믹스커피를 한잔 마셨다. 오늘은 자살한 중3 여학생의 인터넷 상 기록을 지우려한다. 여학생의 가족들은 그 여학생이 자살한 것이 학교폭력 때문이라고 했다. 그 여학생은 중1 까지만 하더라도 평범한 학교생활을 했다고 한다. 그런데 2학년이 되면서 같은 반이 된 친구들 중에 동네에서 질 나쁘기로 유명한 무리가 있었고 순수하고 착했던 여학생이 그들의 타깃이 되었다고 한다....3학년 때도 그 상황은 지속되었다.....그리고 가족들도 여학생이 죽고 이 이야기를 반 친구들에게 들었다고 한다.

별그램에 올라가 있는 짧은 동영상들 부터 지워나가기 시작했다. 가해자들은 여학생을 괴롭히는 과정을 찍어 여학생의 계정으로 올리게 했다고 한다. 그걸보고 나설 것 같은 이들은 모두 못 보도록 설정해둔게 참 가관이다.

학교 쓰레기장에서 우유를 맞는 영상, 창고에 몇시간 동안 가둔걸 배속하여 올린 영상, 교복을 난도질 하는 영상....

난 이 학생을 실제로 본 적 없음에도 너무도 고통스러웠다. 하지만 겉으론 드러내지 않고 묵묵히 지워나갔다. 괴로웠던, 죽고 싶었던, 하지만 차마 죽지 못해 살고 싶었던 한 여학생의 그날들의 흔적들을.

영상 말고도 폭력의 흔적은 많았다. 빠르게 지워나갔다. 일분 일초라도 빨리 이 흔적들이 타버려 저 멀리 날아가다가 소멸하길. 그 여학생의 마음이 조금이라도 편해지길 바라며 지웠다.

그러던 중, 한 메신저 사이트를 발견했다. 자주 드나든 흔적이 있었다. 그 사이트에서 여학생이 대화를 한 사람은 딱 한명이었다.

'샤덴프로이데' 라는 닉네임을 가진 자. 외국이름인가? 인터넷에 검색해보니 독일의 심리학 용어로 '남의 불행을 고소하게 여기는 감정' 을 뜻한다고 한다. 닉네임으로 쓰기에는 그닥 썩 와닿지는 않는다. 가해자들 중 한명일까? 꽤 오랫동안 오고간 메세지들을 읽어내려갔다.

맙소사, 내용은 충격적이었다.

그는 여학생이 학교폭력 초기에 괴로워하고 패닉상태에 빠져 있을 때 서서히 다가왔다. 마치 기다렸다는 듯이... 둘은 점점 친해졌고 여학생은 그에게 의지하는 것이 보였다. 여학생은 갈수록 '죽고싶다'는 말을 하는 빈도수가 늘어났고 그는 알게 모르게 부추기는 낌새였다. 그러나 여학생은 전혀 알아차리지 못했고, 어느날 그는 여학생에게 만남을 청했다. 현실에서의 만남을.

그는 여학생의 가족들이 집에 없는 날 그녀의 집에서 만나자고 했다. 여학생은 흔쾌히 허락했고 둘의 메시지는 '내일 만나자'로 끝나있었다. 그 날짜가 3월 20일이다. 여학생이 자살하기 하루 전. 다시 말해 여학생은 자살한 그날, 그를 만났다.

약속이 취소되었을 가능성은? 글쎄다, 이 둘은 모든 연락이 이 사이트로 주고 받은듯 했다. 그렇다면 만남을 취소하는 메시지도 있어야한다.

둘이 잘 만나고 그가 돌아간 후 여학생이 자살했을 가능성은? 만약 그렇다해도 그가 메시지를 주고 받았을 때 처럼 직접 만나 자살을 부추겼을 가능성이 높다.

그러나 나는 그가 여학생을 살해했다는 생각을 지울 수 없다.

나는 그를 해킹하려고 하였다. 그러나 사이트가 그를 감싸는 듯 했다. 아주 놀랍도록 빈틈없이 그를 보호하고 있었다. 설마 이 사이트의 운영자가 그일까? 이런 생각도 들었다.

그런데 만약 그렇다면 아주 중요한 증거인 메세지가 오고간 이 사이트는 왜 이렇게 멀쩡히 있는걸까. 갈수록 의문스러운 점이 많아지고 있다.

나는 방금 알아낸 사실을 경찰에 신고했다. 심증이긴 하지만 물증은 경찰이 찾아낼 일이니까.

다음날. 나는 사무실에 새로온 신입과 한방을 쓰게 되었다. 이로써 이 방에선 나, 다지타, 그리고 새로온 박신비. 이렇게 3명이 업무를 보게 되었다. 신비는 활기차고 혼자서 일을 잘하긴 했지만 심경도 복잡한데 신입까지 들어오니 머리가 더 복잡해지는 것 같았다. 신비가 온 그날은 평소와 같이 최선을 다해 흔적들을 지웠다.

오늘은 토요일이다. 9시에 일어나 천천히 아침을 마주했다. 어제 퇴근 하다 사온 이번달호 범죄 잡지를 펼쳤다. 내가 자주 접하는 디지털 성범죄에 대한 이야기들이 많이 실려있는 잡지라 매달 사서 읽는다.

보통 초반에는 범죄에 몸담은 불법적인 직업들을 소개한다. 이번호에는...살인청부업자다. 보통은 내가 필요한 부분만 읽지만 오늘은 시간이 여유로워 처음부터 천천히 읽기로 했다.

은퇴한 익명의 살인청부업자의 인터뷰도 실려있고 살인청부업자로서 사람을 많이 죽이고 유명한 이들이 실린 파트도 있었다.

그중 한가지 이름이 눈에 띄었다.

-살리에리

살리에리 증후군:

천재성을 가진 주변의 뛰어난 인물로 인해 질투와 시기, 열등감을 느끼는 증상을 말하며 소위 '2인자의 심리'를 표현할 때 많이 쓰인다.

1984년 '아마데우스'라는 영화에서 살리에리는 천재 음악가이자 친구인 모차르트에게 극심한 열등감을 느끼고, 그 열등감을 이기지 못해 모차르트를 독살하는 것으로 나온다. 그의 이름에서 유래된 말이 살리에리 증후군이다.

실제로 살리에리는 모차르트를 죽이진 않았으나 그 소문은 점차 사실처럼 굳어졌다.

아무튼, '살리에리' 라는 이름을 듣고 '샤덴프로이데' 가 생각나는 이유는 무엇일까. 느낌이 비슷하다. 이런 뜻을 가지고 있는 단어들을 이름으로 쓴다는 것이 둘은 묘하게 비슷했다.

그러나 직감일뿐. 수첩에 '살리에리'를 메모해두고 페이지를 넘겼다.

주말이 지나고 다시 출근했다. 사무실로 들어서니 분위기가 어수선하다. 그때 다지타가 신비와 다가와 상황을 설명해줬다.

"라이미언, 설마 그 얘기 못 들은거야?"

"무슨 일 생겼습니까?"

"선배! 글쎄, 이 근처에 77층 짜리 빌딩 있잖아요? 사람들이 럭키빌딩이라 부르는 곳이요."

"그래. 그 빌딩이 왜? 무너졌대?"

"어떤 여자가 56층에서 떨어졌대."

"돌아가셨대요..."

어쩐지 출근길에 경찰차, 구급차가 지나가더라니.

"그런데 그 여성분, 옷을 안 입은 상태였다고..."

"자살인지 성폭행범으로부터 도망치다가 떨어진건지 수사 중이래요."

나는 침묵한채 그 이야기를 들었다.

며칠 뒤. 경찰에게서 연락이 왔다. 그날 여학생의 집을 누군가 방문한 흔적은 없다는 것이다. 증거가 더 나오지 않아 이 부분은 수사를 더이상 할 필요 없어보인댔다.

"...알겠습니다."

다시 일에 집중했다.

이때까지 받았던 의뢰 이상은 안 받기로 했다. 의뢰들도 거의 다 끝나간다. 내 디지털 장의사 생활도 끝나간다는 뜻이다.

그로부터 10일이 조금 넘게지나고. 어느날. 내 컴퓨터로 메일이 왔다.

-디지털 장의사님. 저 기억하세요? 저 3년 전에 장의사님께 의뢰했던 청은비에요. 갑자기 연락드린 건... 누군가 절 쫓아다니는 것 같아요. 도와주세요. 경찰에 신고도 해봤지만 누군가 지켜보는 느낌이 든다는 것 만으론 제대로 된 조치가 없네요. 장의사님은 제 은인이시니까...이럴 때 생각이 나더라고요. 장의사님의 범주가 아니란걸 알면서도 실례를 무릅쓰고 부탁드려요. 뭘 해야할지 모르겠어요. 제 느낌이 맞는지도 사실 헷갈려요. 와주실 수 있나요?

쫓아다닌다니... 과거 가해자들중 하나일까? 우선 급해보이니까 그녀를 만나러 가봐야겠다.

다음날. 나는 아침 기차를 타고 그녀가 사는 곳으로 향했다.

3년만에 만난 그녀지만 난 생생히 기억난다. 내 첫 의뢰인. 일을하며 힘들때마다 안도하듯 웃으며 감사하다고 수도없이 말했던 그녀를 상기시키곤 했다.

근처 카페에서 도청기나 엿듣는 사람이 없는지 확인후에 우린 대화를 시작했다.

"언제부터 그런 느낌을 받으셨나요?"

"10일정도 되었어요."

"예를 들어 어떤 상황이 있었나요?"

"퇴근하고 돌아오는 길에 뒤에서 발자국 소리가 들려요. 거의 매일 같이. 일정하고 평범한 발자국 소린데 어두울때 들으니까 확실히 기억에 남아서 알아요. 매일 같은 사람이에요."

"최근 누군가의 원한을 산 적이 있었나요?"

"딱히...."

"우선 저도 경찰에 신고해두겠습니다. 그리고 회사부터 집까지 데려다드리죠"

"그렇게까지....저야 안심이지만....너무 민폐를 끼치는건 아닌지..."

"무슨요, 제가 나서는게 은비 씨 한테 도움이 된다면 다행이죠."

".....'

".....'

"아, 저 출근할 시간이 다가와서... 먼저 일어나 볼게요."

"제가 지금 같이 가도 될까요? 회사 위치도 익히고 가면서 수상한 사람은 없는지 확인해볼 겸요."

"네, 같이 가요."

카페에서 나와 잠시 걸었다.

큰길로 나와 택시를 잡고 회사로 향했다. 은비씨는 조향사로 국내 유명 향수 기업에서 일하고 있다. 그래서인지 그녀에게선 독특하고 달콤한 복숭아 향이 났다. 기분좋은, 매우 향기로운 향이다.

택시 안에선 별다른 이야기 없이 있었다. 그러다-

"아이고, 아가씨랑 총각은 사기는가벼?"

택시기사님께 이런 오해를 받다니.

"...."

근데 왜일까, 은비씨는 아무말도 하지 않았다.

잠깐의 침묵이 흐르자 괜히 여기서 부정하면 은비씨만 민망한 상황이 되겠구나 하는 생각이 들었다. 그래서 나도...가만히 있었다. 어차피 한번 만나고 말 택시기사 아니던가. 이 정도의 오해는 그냥 넘어가도 괜찮지 않을까.

괜히 민망함에 몇시에 퇴근하냐고 묻자 오늘은 8시쯤이 될 것 같다는 답을 들었다.

그녀를 회사에 내려준 후 근처를 천천히 돌아보았다. 은비씨의 회사 말고는 딱히 큰 건물이 없는 한적한 동네...아침햇살이 내려앉은 도시는 꽤나 정감있었다.

한참 걸으며 생각에 잠겼다. 여학생은...정말 자살일까. 샤텐브로이덴, 그자의 정체는 뭘까. 얼마전 빌딩에서 떨어진 여자는 타살이었겠지? 그 뒤론 소식을 듣지 못했다. 그리고 얼마전 자살한 의뢰인, 최지예 씨는....경찰들은 의뢰인이 디지털 성폭력으로 고통을 받고 있었다는 사실 때문에, 그리고 사건 현장을 보고 당연히 자살이라고 생각했다. 그렇지만 지금 찬찬히 생각해보니 아무래도 의뢰인이 죽기전 만났던 모습은 자살할 것 같아 보이지 않았다. 힘들어도...다시 일어나보려는 결의가 보였다. 물론 갑작스럽게 자살을 결정하고 실행에 옮기는 사람도 많고 가면우울증처럼 자신이 힘든 것을 내색하지 않으려고 했을 수도 있다. 그렇지만...그렇지만....사실....난 그녀가 자살한게 아니길 믿고 싶다. 이것이 내 무능함을 탓하고 싶지 않은 이기심이라 해도 부정할 순 없다. 맞으니까. 난 그렇게 남의 죽음을 나를 위해 왜곡해 버리는 별 볼일 없는 인간이다.

　골목길로 들어섰다. 주변 풍경이 훅 변하자, 내 머리도 다른 주제로 돌아가게 되었다.

　'내 첫 의뢰인. 일을하며 힘들때마다 안도하듯 웃으며 감사하다고 수도없이 말했던 그녀를 상기시키곤 했다.'

　'무슨요, 제가 나서는게 은비씨 한테 도움이 된다면 다행이죠.'

　'아이고, 아가씨랑 총각은 사기는가벼?'

　'은비씨는 아무말도 하지 않았다.'

차례로 스치듯 지나갔다.

난 왜 이리도 은비 씨를 생각하고 오지랖에 더 가까울 도움을 주고 또 되새기는가. 난 은비씨를 그저 첫 의뢰인 그 이상으로 생각한걸까?

나는...그래. 은비씨를 처음 본 순간부터 내 마음은 간질거렸다.

이제야 눈치챈 내가 바보지. 메일을 받곤 바로 다음날 기차 타고 달려올 때 부터 눈치챘어야 했는데.

그래도 지금, 이 마음은 조용히, 아주 조용히 묻어두자. 그녀는 지금 충분히 혼란스럽고 불안할테니.

나는 주위를 둘러본 후 보이는 음식점 아무 곳이나 들어가, 밥을 먹고 옆에 있는 카페에서 의뢰 받은 내용들을 수행했다.

그리고 7시 반쯤 자리에서 일어나 그녀의 회사로 향했다. 도착하니 그녀는 생각보다 일이 끝났다며 회사 앞에 나와있었다. 다가갔다, 그녀에게. 조심스럽게, 그러나 늦지않게.

함께 골목을 걸었다. 가로등의 불빛만이 내린 골목은 혼자였다면 꽤 오싹할 만했지만 그녀와 함께 걸으니 너무도 따듯하게 변해있었다. 우리사이엔 침묵이 내려앉았지만 그리 불편하지 않았다. 그래도 너무 조용히 걷는 것도 좋지 않겠지.

"은비씨는 여름이 좋아요, 겨울이 좋아요?"

"네? 아, 저는...여름이요. 지금처럼. 싱그러운게 좋아요. 푸르고 활기차거든요. 청춘드라마 한편 찍을만한 그런...물론 저는 청춘드라마 주인공이 되기엔 너무 나이먹어 버린것 같지만...! 장의사 님은요?"

"저도 여름이요."

거짓말. 나는 사실 겨울이 더 좋다. 하지만 그녀와 공감대를 찾고 싶었다. 이런 소소한 거짓말은...괜찮지않을까.

"후덥지근 한 공기를 가르는 에어컨 바람이라든지 선풍기 바람에 날리는 서류라든지... 그런 것들이 꽤 마음에 들어요."

"하하...저도 그런거 좋아요!"

"통하는 부분이 있네요."

"그런데요, 장의사님."

"음? 왜요?"

"저... 장의사님 부를때 이름으로 불러도 될까요? '라이미언 씨~' 이렇게? '장의사님'은 너무 길어요."

나는 그만 피식 웃고 말았다.

'라이미언 씨'가 '장의사님'보다 한글자 더 많다는 거에 한 번, 이걸 허락 받으려고 망설이는 그녀의 사랑스러운 면모에 한 번. 내 심장이 간지러워졌다.

"아아 생각해보니 '라이미언 씨'가 더 기네요? 으음...그래도 '장의사님'은 너무 사무적인 걸요?"

"하하하 마음대로 불러요 은비 씨. 은비 씨 이야길 들으니 저 너무 허락도 없이 '은비 씨'라고 불렀나봐요~"

"아아, 아뇨...저는 상관없는걸요."

"그럼 다행이고요. 어차피 저 이제 곧 장의사 님 아니니까...

이름불러도 상관없어요."

"네? 왜요?? 혹시 라이미언 씨...뭐 잘못했어요? 그래서 해고...당하는거에요?"

"네에? 아뇨아뇨. 그냥...제가 그만둘려고요..."

"왜인지 물으면...실례되겠죠?"

"말해도 될까요?"

"저야 괜찮죠."

"의뢰인 비밀유지는 해야하니까 자세히는 이야기 못하지만 저에게 의뢰했던 분이...스스로 목숨을 끊으셨거든요. 죄책감도 죄책감이고...이런 제가 계속 일하다가 또 누군가를 그렇게 만들까봐 겁나네요. 도망...치는거죠. 생각해보니...맞아요, 해고 제가 저를 해고시켜야 할 것 같네요."

"......"

"......"

"용기는 공포에 대한 저항, 공포의 지배이지 공포의 부재가 아니다. 마크 트웨인이 한 말이에요. 공포가...없을 순 없잖아요. 그래도 그 공포에 저항하는게 좋지 않을까요? 물론 전 라이미언 씨 마음의 일부의 일부도 이해 못하겠지만, 그래도 저는 라이미언 씨가 딛고 일어나서 계속...디지털 장의사일 해주셨으면 해요...! 이게 라이미언 씨의 무거운 고민에 가볍게 스치는 말처럼 들려도 어쩔수 없지만. 저는 제 영웅에게 조금이라도 힘을 주고 싶으니까..."

이래서 내가...좋아한다. 이 햇살같은 사람을...

은비씨는...너무도 따뜻한 사람이다. 너무도. 나에게 과분한 사람이다.

은비 씨의 집에 다 왔을때 나는 겨우 입을 열었다.

"고마워요...도움을 주고싶어 왔는데 오히려 제가 도움을 받았네요..."

"무슨요. 오늘 정말 든든했어요. 고마워요. 내일은 가실 건가요?"

"일단 오늘은 이 동네에서 자고 생각해보려고요"

"그렇군요...진짜로...감사해요. 그리고, 죄송합니다."

"은비 씨가 죄송할게 뭐있어요. 제가 하고싶어서 하는 일인데요. 그럼 은비 씨. 편안한 밤 보내요"

"...라이미언 씨도요!"

근처 숙소에서 밤을 보내기로 했다. 체크인 하고 방에 들어와 씻고 바로 침대에 누웠다.

그 때였다. 메일이 왔다.

라이미언 씨!
이렇게까지 해줘서 정말 고마워요.
미안하기도 하고 고맙기도 하고...
언제 한번 크게 갚을게요.
도시에서 여기로 오셔서 집까지 데려다 주시고
망도 봐주셔서 온마음다해 고마워요. 누군가
쳐다보는 듯하던 시선이
요즘 너무 힘들었는데 덕분에
내일을 살 수 있게 되었어요. 정신이
가출할 정도로 지쳤었는데 좀 나아졌어요.

범인이 너무 원망스러워요. 3년전 그 일로

인간이란 존재 자체가 너무 무서워졌었다가

지금은 좀 괜찮아졌었는데

시발점으로 돌아온 것 처럼

로봇이 리셋되는 것처럼

당시로 돌아간 것 처럼 다시 다른사람을

신뢰 못하겠어요

불안하고...

러시아에도, 중국에도, 미국에도 스토킹 있겠죠?

서러워서 진짜...

미미하게라도 스토킹 처벌에 변화가 있었음해요

안그래도 요즘 더 스토킹 범죄가 많아지는데...

해가 지면 불안한 마음에 심장이 막 뛰어요

요때만 잠시 이러고 말겠죠, 다시 괜찮아지겠죠?

당시에도 결국 극복했으니까...

신기하게 한순간에 괜찮아질거에요. 누군가 날

노리고 있다고 생각하면 무섭지만. 정말 나를 노

리고 있을까요? 너무...무서운데 당신밖에

고민을 말할 곳이 없네요.

있잖아요. 불안할땐 노래를 들으면 좋아요.

어릴적 듣던 노래는 더 효과가 좋고요.

누워서 그녀의 메일을 읽다가 조금 어색하다는걸 느꼈다. 그

제16화 그날의 흔적

녀가 도움을 청하며 보내던 메일은

　이렇게...중간에　문장을　끊으면서까지　다음줄로　넘어가지...않았는데...?

　마치 유튜브 댓글 중 세로 드립을 보는듯한...

　′라..이..미..언..도..망..쳐..요..내..가..범..인..지..시..로..당..신..불..러..서..미..안..해..요..당..신..노..리..고..있..어.′

　′라이미언도망쳐요내가범인지시로당신불러서미안해요당신노리고있어′

　′라이미언, 도망쳐요! 내가 범인 지시로 당신 불러서 미안해요. 당신 노리고 있어!′

　우연의 일치로 이런거 아닐까?

　아니면 장난이라던가?

　아니다. 이건, 진짜다.

　′범인의 지시′ 라니. 심지어 날 ′노리고 있다′ 니.

내 머리는 지금 상황에 따라가지 못하면서도 힘겹게 굴러갔다.

그에 반해 심장은 이미 상황파악을 마쳤나보다.
튀어나올듯 뛰고 있다. 내 다리도 그와 동시에 뛰기 시작했다.

빨리...은비씨에게 가야한다.

뛰어가며 생각해보았다. 무슨 상황인걸까. 아무래도 이렇게 된거겠지.

어느 날 범인이 은비씨를 찾아와 협박했다. 나를 불러내라고. 은비씨는 어쩔 수 없이 그렇게 했지만 결국 나에게 도망치라고 메일을 보냈다.

하지만 의문점이 한두가지가 아니다. 범인은 왜 날 노리는거지? 은비씨는 범인의 지시에 따를 수 밖에 없었던 상황이었는데 왜 갑자기 나에게 도망치라 하는걸까? 그리고...방금 그 메일은 은비씨가 목숨걸고 보낸것인가?

은비씨의 집으로 가는길은 멀기만 했다.

- - - - - - - - - - - - - - - - - - -

    문이 열리고 그가 들어왔다. 구석으로 가 무릎꿇고 앉았다. 그리곤 그를 올려다 봤다. 어두운 방을 둥둥 떠다니는 하얀 복면에 식은땀이 나려했다.

    복면을 쓴 그가 찾아온건 10일 전이다. 어찌된 일인지 모르겠지만 3년 전 나를 지독히도 괴롭혔던 '그 영상'을 그가 가지고 있었다. 그는 지시에 따르지 않으면 영상을 퍼뜨리겠다는 협박과 함께 나의 일상을 뒤흔들었다.

    어쩔 수 없었다. 나는 살아야겠다. 그 지시가 내 은인을 위험에 빠뜨리는 일 일지라도.

    -그렇게 생각했었다. 하지만 아니었다. 라이미언, 그를 볼때마다, 이야기를 나눌때 마다 가슴이 쿡쿡 쑤셔서 참을 수 없다.

    결국 그에게 범인의 지시와 같은 상황이 연출 되었을때 보낼법한 미리 만들어둔 메일을 보냈다. 세로암호가 숨겨져 있는... 그가 부디 발견해야할텐데. 아무래도 범인이 내가 보낸 메일함을 열어보게 되었을때 도망치라고 직접적으로 말해둔걸 발견하면 그가 도망칠 시간도 적어질 뿐아니라 나도 아주 위험해진다. 그래서 가장 단순하면서도 관찰력이 부족하면 쉽게 넘기기 마련인 세로암호를 선택했다.

"내일이다."

"네?"

"내일 극동 상가 옥상으로 그를 데리고 와라."

"...알겠어요."

"그는...제대로 넘어오고 있나?"

"...네."

"...간사한 혀를 뽑아버리기 전에 거짓은 지우는게 좋을거야."

"네?"

"너가 보내는 메일, 문자, 방문하는 사이트...모든 것을 감시하고 있다. 생각이 짧군."

다리에서 힘이 빠졌다. 벽 쪽에 기대었다. 3년 전 일이 다시금 덮쳐왔다.

감시. 통제. 억압...

질척한 무언가가 내 몸을 타고 올라오는게 느껴졌다. 불특정한 누군가 날...지켜보는 기분은 끔찍함을 넘어 죽도록 괴롭다.

그때였다.

벌컥-

"은비 씨!"

은비 씨의 집에 도착하니 문이 열린 상태였다. 문을 급히 열고 들어가니 눈에 들어온건 구석에서 무릎을 꿇고 떨고있는 은비 씨와 하얀 복면을 쓰고 나를 쳐다보는 정체불명의 남자.

체격을 보아 남성임은 확실했으나... 그 밖에 알 수 있는 건 없었다.

"조금 이른데?"

복면 속에서 흘러나온 꽤나 부드러운 목소리.

"당신이...범인 입니까?"

"뭐 말하는 거야? 이 여자 협박한거? 아니면...니 의뢰인?"

머리가 멍해졌다. 저 남자...지금 무슨말을 하는거지?

"아. 이건 모르나 보구나~. 잘 들어 라이미언. 한번만 설명해 줄테니까. 최근에 일어난 사건들 말이야. 56층에서 떨어진 여자, 학교폭력으로 자살한 여학생, 얼마 전 자살한 니 의뢰인 최지예. 다 살인사건이야. 아, 범인은 나고."

이게 무슨 급전개인가 싶다. 당황하여 말이 제대로 나오지 않았다.

나에게 의뢰했던 사람, 그의 가족이 의뢰했던 사람, 스치듯 지나간 투신자살추정 사람. 모두 내 앞에 있는 이 남자에게...죽었다. 살인사건인지도 몰랐던 사건들이, 자살인줄로만 알았던 사건들이 모두 이 남자에 의해서...

이 비현실적인 상황에 내가 할 수 있는 말은...

"왜? 대체 왜 그런짓을 한겁니까? 묻지마 살인사건 입니까?"

내 눈 앞의 광기어린 살인마는 피식- 웃었다.

"묻지마? 내 살인은 그렇게 의미없지 않아."

"살인에 의미부여할 생각 마십시오. 난 동기를 물은거지 변명해보라는 뜻이 아니었으니까."

점점 내 목소리에서 살기가 느껴졌다.

"12년 전, 니 누나가 실종 되었을때 말이다. 동일범에게 피해자가 한 명 더 있었어."

갑자기 저 이야기가 왜 나오는걸까.

"내 누나. 따스하고 활기찬 사람이었지. 니 누나는 시체가 발견되지 않았지만 우리 누나는 발견 되었어. 아주 잔인한 방법으로 살해되었지만 가해자가 높으신 분 아드님이더라. 언론에 보도되지 않고 아주 빠르게 은폐 되었어. 나의 누나를 잃은 절망적인 사건이지만 가해자에겐 처리해야 할 일 정도였지. 아무튼 그래서 너는 몰랐을거야. 나도 겨우 알아낸 사실이니까. 경찰청

보고서에는 아주 자세히 기록되어 있더라고."

"해킹한겁니까?"

"그래, 나도 너 정도로 이런쪽에 능숙하거든. 그래서 니가 '샤덴프로이데' 에게 접근 할 때도 방어할 수 있었던거 아니겠어?"

"샤덴프로이데...역시 당신이었군요."

"그래. 그래도 난 나름 왕따 여중생을 위로하려 노력했어. 다시 본론으로 돌아와서, 내 누나가 어떤 모습으로 발견 되었는지 말해주지. 고층빌딩 56층에 있는 창고에서 트럼프 카드가 입에 물려 있었으며 나체 상태로 목을 매단체 발견되었어. 온 몸의 뼈가 꺾여 정상적인 사람의 형태는 찾아볼 수 없었어. 그리고 머리카락엔 마감제가 흥건하게 발라져 굳어 있었어. 성폭력 후 죽인거지. 그온라인 그루밍을 당하다가 그 빌딩으로 불려가서 그런 일을 당했어. 그런데 온라인 그루밍을 왜 쉽게 당했는지 아나? 스토킹으로 많이 정신이 피폐해져 있었다더군."

"설마...모방범죄 입니까?"

"그래, 그날 내 누나에게서 발견된 흔적들 각박했던 누나의 상황을 하나하나 쪼개서 다른 여자들의 몸에 새기기로 했다. 그럼...다시 그 사건을 공론화 시킬 수 있을지 모르니까."

"그게 무슨...!"

"혹시 살인청부업자, 살리에리를 들어봤나? 그게 나다. 어차피 의뢰가 들어와서 죽이러 갈거 내가 원하는대로 죽이겠다는데 뭐가 문제지?"

"막겠어...당신의 살인. 더이상은 죽일 수 없을겁니다."

"그래도 괜찮아. 죽일 사람은 잘 가둬뒀으니까. 니 누나 말이다. 그날 이후로 12년째 감금중이지. 니 누나는 내 누나를 구하러 갔다가 살인사건 현장을 목격했고 내 누나가 죽어가는 동안 그 빌딩 다른 층에 갇혀있었어. 그러다 나한테 먼저 발견 되었고...잘 이용할 수 있겠단 생각이 들더군."

"누나를 어디뒀죠? 당장 말해 너도 누나가 있었다며!"

"아직 남길 흔적들이 많아. 너에게 이 이야기를 한 이유가 궁금하지? 내 살인을 막아봐. 그럼 니 누나를 살려줄게. 경찰은 안돼. 내 누나도 지키지 못한, 사건을 은폐해버린 경찰은 질색이다. 내가 말한것 말고도 내 누나에게 있었던 상황들을 잘 알아봐."

그리고 그는 창밖으로 도망쳤다. 순식간이라 잡을 수도 없었다.

혹시 몰라 켜두었던 녹음기를 보니 오류가 나있었다. 살리에리가 무력화 시켜둔 모양이다. 쉽게 볼 상대가 아니다.

"저...라이미언 씨...미안해요. 날 죽이겠다 해서겁먹고...당신을 불러서..."

"아니에요. 전혀 몰랐던 의외의 정보들을 알게 되었어요. 난지금부터 살리에리를 막으러 갈거에요. 불안하면 경찰에 연락해요. 미안하지만...범인이야기는 빼줄 수 있을까요?"

"저도 함께 하고싶어요. 도망치고 싶지 않아요. 저는 살리에리와 접촉했으니까...도움이 될진 모르겠지만 이대로는 불안해서제대로 생활하지 못할 것 같아요."

"알겠어요...고마워요. 그럼, 지금 저희 사무실로 같이 가요. 해킹은 거기 컴퓨터로 해야 빨라요."

"해킹이요?"

"살리에리의 누나 사건 기록을 알아봐야 겠어요. 중요한 열쇠가 될 것 같으니."

"아. 알겠어요."

사무실로 돌아가는 차에선 은비 씨에게 살리에리를 만난 이야기를 들었고 아까 많이 힘들어하고 있던데 괜찮냐고 물었다.

사무실로 돌아가서 해킹을 시도했다. 생각보다 쉽게 뚫렸다.

"저도 이런 재주가 있었으면 좋겠어요. 대단하시네요."

"별거 아니에요. 어? 여기있네요. '고하늘'. 아 그리고 다른 정보도 있네요. 한 번 복부를 찔린후에 한참 도망치다가 더 공격받고 목숨을 잃은걸로 추정된다고 해요."

"누나를 알면 동생도 알 수 있는것 아니에요?"

"그렇게 할려했는데...그 부분은 해킹이 막혀있어요."

"살리에리가 손을 써뒀나보네요."

그때였다.

문이 열리고 다지타와 신비가 들어왔다.

"라이미언, 뭐하...아, 3년 전 의뢰인분 아니세요?"

"아, 네. 은비라고 합니다."

"네. 저는 라이미언 동료 다지타 입니다. 무슨일로...?"

"아 그게..."

은비씨가 나와 눈을 맞춰왔다.

"다지타 씨, 도움...주실 수 있습니까?"

"음?"

　그 후, 일은 속전속결이었다. 지금까지의 상황을 설명하고 해킹을 부탁했다. 다지타가 해킹에 아주 능력있다. 살리에리의 본명은 '고하민'. 주소도, 전화번호도 메일도 알아냈지만 실제로 존재하지 않았다. 그래도 이름은 알아냈다. 감사인사를 전하려던 그때였다.

"도울게, 라이미언."

다지타였다.

"저도요."

이번엔 신비였다.

"...괜찮겠습니까? 살인사건에 엮일지 모릅니다."

"아휴...니가 누나를 얼마나 그리워하는지 내가 알고 있어."

"얼마전에 온 제가 보기에도 그랬습니다. 우리는 계속 같이 일할 동료니까...도울게요."

"...고맙습니다. 그럼, 한 번 막아보죠. 다음살인."

"그런데 어떻게요?"

"고하늘 씨는 사건이 일어나기 얼마전 새 집으로 이사를 했습니다. 카페에서 아르바이트를 했고요. 고하민은 이 근처에서 살인을 벌이니 이 근처에 새로 이사한 여성이나 카페 아르바이트를 하는 여성을 알아봅시다."

"그치만...너무 많잖아요."

"그럼 최근에 이사한 여성 카페 아르바이트생을 추적해봐요. 그리고 나이는 이때까지 피해자들을 종합해봤을때 40대 이상은 없었으니 30대 까지만. 이렇게 범위를 좁혀서라도 수사해야하지 않을까요?"

"그렇게 해봅시다."

3시간 동안 해킹과 회의를 반복한 끝에 후보자가 3명으로 줄었다. 한지원, 박지희, 유지민. 3명 중 다음타깃이 있어야 할텐데...

나는 한지원 씨에게, 다지타는 박지희 씨에게, 신비와 은비 씨는 유지민 씨에게 가기로 했다.

한지원 씨가 일하는 카페로 가서 레몬그라스를 시켰다. 천천히 마시며 주위를 경계했다. 그리고 한지원 씨가 퇴근 할 시간이 되었을때 카페 앞 공원벤치로 자리를 옮겼다. 그때였다.

번쩍-!

날카로운 칼날이 한지원 씨를 향했다.

한 번찌르고 저 다시 도망갔다!

'한 번 복부를 찔린후에 한참 도망치다가 더 공격받고 목숨을 잃은걸로 추정된다고 해요.'

아, 그걸 재현하려는 거구나!

주변 사람들에게 도움을 요청하고 고하민을 쫓아갔다. 그리고 작전계획 중에 약속했던 급한 상황엔 서로에게 연락하자고 무전기를 나눴던게 생각나 다지타와 신비, 은비에게 무전을 쳤다.

한참을 쫓았다. 이리저리 잘 피했다. 거의 놓칠 뻔 했을때, 신비가 무전을 보내 고하민의 위치를 알렸다. 드론으로 쫓아가고 있다 했다.

다시 고하민과 가까워졌다. 그리고 점점 지칠 때쯤 고하민이 뛰어가는 반대편으로 경찰이 보였다.

그렇게, 고하민이 잡혔다.

나는 누나와 재회했고 부모님은 누나를 되찾으니 건강이 그나마 회복되었다.

고하민을 심문하던 중 알게 된 이야기는 내 귀에 까지 전해졌다.

고하민은 그날 내 누나를 발견하고 이번 연쇄살인을 계획했다고 했다. 살인청부업자로서 살인 기술, 현장 조작 기술을 배우고 치밀하게 계획하느라 12년이 흘렀다.

은비 씨를 이용해 나를 부를때 사실 내가 안오면 은비 씨 뿐만 아니라 내 누나를 다음 타깃으로 하려 했다 한다. 자신의 누나 고하늘 씨가 스토킹으로 힘들어한다는 걸 어렴풋이 느꼈음에도 큰 도움을 주지 못하고 금방 해결되겠지하고 생각하고 말았는데 그 상황을 재연하려 했던 것이다. 내가 안갔으면 누나는 죽었다는 이야길 들으니 소름이 돋았고 천만다행이라는 생각이 들었다.

나에게 자신을 막아보라고 한 것은 나를 테스트 해보고 싶었다 했다. 누나를 지키지 못한 자신과 비교되어 맞붙어보고 싶었다나...

어차피 자수를 해서 이 연쇄살인의 배경을 밝혀 고하늘 씨 사건을 공론화 시킬 예정이라 내 누나는 돌려보내주려 했고 굳이 내 누나를 오랜시간 감금한 이유는 고하늘 씨를 그리워하는 마음에서 그랬다고 전했다. 말도 안되는 소리. 하지만 고하민은 좀 정신병이 심한 것 같으니 누나를 잃고 미쳐버려 진심으로 그랬던 것 같다.

온갖 분위기란 분위기는 혼자 다 잡길래 엄청난 계획이 있어서 나에게 도전하는줄 알았는데 해킹 실력이 조금 좋은 정신병 살인청부업자일 뿐이었다. 꽤나 허무한 결말이지만 빨리 고하민이 잡혀 더 이상 희생자가 나오지 않은것이 다행아닐까?

그리고 오늘은 다지타와 그의 신부의 결혼식이다. 그의 신부는 나도 모르다가 청첩장을 받으면서 알게 되었다. 그의 신부는 신비였다. 리타는 애칭이었다는걸 그제서야 알았다. 처음엔 많이 놀랐지만 생각해보니 둘 사이에 미묘한 기류가 흘렀던 것도 같다.

부끄럽지만 결혼식 축가는 내가 부른다. 다시 생각해도 왜 내가 하겠다했는지...

축가는 달달한 사랑노래로 듀엣곡이다. 그래서 파트너가 필요했고 은비 씨가 맡아주기로 했다. 3년 전 디지털 성폭력의 영

향으로 많은 사람 앞에 서는걸 두려워했던 은비 씨인데 조금이나마 극복한듯 해 다행이다.

축가를 연습하며 은비 씨와 많은 시간을 보냈다. 이 결혼식이 끝나면 최근에 만나서 연습했던 것 처럼 자주 만날 순 없겠지...여전히 난 은비 씨를 좋아하고 그래서 아쉽다.

축가를 부르는 동안 수도 없이 서로의 눈을 마주했고 나는 그녀의 눈빛에 빠질 듯 했다.

그리고 다지타와 신비가 신혼여행을 떠나는 길을 배웅해 주고 근처 카페에서 이야기를 나누었다. 3년 만에 다시 재회한 그 날처럼.

"저...라이미언 씨, 그땐 정신이 없어서 인사도 제대로 못한 것 같아요. 라이미언 씨, 와주셔서 감사해요."

제가 도움을 청했을때 와준 것도 고맙고 내 인생에 들어와준 것도 고마워요.

뒷말은 속에서 메아리 쳤다. 내 은인에게 전해지지 않을 진심은...

"사실 고하민이 내가 라이미언 씨를 못부르면 죽이겠다 했을 때, 난 이미 죽은 목숨이구나...생각했었어요. 와줄 줄...몰랐어요."

"나는...은비 씨 좋아해요. 3년 전, 저에게 감사인사를 전하던 그때 부터 좋아했었던 것 같은데 바보같이 얼마 전에 알게 되었어요."

내가 지금 뭘 듣는거지? 이건...꿈이었나...

"대답을 바라고 한말 아니에요. 난 그저 은비 씨가 그만 미안해 하고 고마워해도 될 것 같아서...오히려 난 이로써 누나를 찾았으니 내가 고맙죠."

"...대답 해도 될까요?"

"얼마든지. 어떤 마음이라도 받아들일게요."

"서로 좋아하면 사귀면 되는거라고 생각하는데."

"네...?"

"나도 라이미언 씨 좋아해요. 우리 날짜 세면서 만나 봐요."

그 후 우린 연인이 되었다.

그리고 마지막으로 나는 디지털 장의사 일을 계속 하기로 했다. 사실 은비 씨가

'용기는 공포에 대한 저항, 공포의 지배이지 공포의 부재가 아니다. 마크 트웨인이 한 말이에요. 공포가...없을 순 없잖아요. 그래도 그 공포에 저항하는게 좋지 않을까요? 물론 전 라이미언 씨 마음의 일부의 일부도 이해 못하겠지만, 그래도 저는 라이미언 씨가 딛고 일어나서 계속...디지털 장의사일 해주셨으면 해요...! 이게 라이미언 씨의 무거운 고민에 가볍게 스치는 말처럼 들려도 어쩔수 없지만. 저는 제 영웅에게 조금이라도 힘을 주고 싶으니까...'

그 말을 했을 때부터 정해진 결말이었을지도. 사랑하는 여자가 응원하는데 어찌 그만두겠나. 이번 일로 나는 내 직업에 더 사명감을 가지고 일하게 되었다.

모든 일이 끝나고, 이제는 누나와 은비 씨가 있는 일상으로 돌아간다.

오늘 밤엔 제법 쌀쌀해진 가을 바람이 내 두 뺨을 스친다.

여러분의 가슴 속에 남아있는 그날들의 흔적들도 이 가을바람에 실어 멀리 보내길 바란다.

2023년을 추억하며